新 潮 文 庫

闇　の　穴

藤沢周平著

目次

闇《やみ》の穴《あな》

木綿触れ

一

結城《ゆうき》友助が住む組長屋は、城から南西の方角にあたる曲師《まげし》町にある。城下町のはずれに近く、そこまでくると、五層の城の天守は、町々の木立にさえぎられて見えなくなる。その日、友助が城をさがって長屋に帰ってきたのは、いつもと同じ時刻だったが、妻のはなえは、まだ夜食の支度にかかっていなかった。珍しいことだった。

いつもなら、土間に踏みこむと、釜《かま》を吹きこぼれる炊飯の香《かおり》とか、味噌汁《みそしる》の匂《にお》いなどが家の中にただよっている。そして手をふきながら上がりがまちまで出迎えたはなえが、茶の間に入って刀を受け取り、少し早目だが行燈《あんどん》に灯を入れる。寝間に入って着換えながら、友助は、そういう炊事の匂いや、はなえが台所でたてる庖丁《ほうちよう》の音などに、一日の城勤めに疲れた身体《からだ》が、ゆっくりくつろいで行くのを感じるのである。

だがその日は順序が逆になった。はなえは行燈に灯を入れ、窓の下にひろげていた縫物を片よせると、あわただしく台所に立って行った。はなえは、それまで縫物に夢中になっていて、帰ってきた友助の声に、はじめて手もとが薄ぐらくなっているのに気づいたというふうだった。

「あわてんでもいいぞ」

友助が着換えながら声をかけると、台所からはなえが、申しわけありません、いそいで支度しますから、と詫《わ》びた。茶の間と寝部屋と、それに納戸《なんど》がくっついているだけの、せまい家である。どこで声を出しても、相手が家の中にいる限り、声はとどく。

「着る物は、だいぶ出来たのか」

茶の間に出て、火鉢のそばに坐《すわ》りながら、友助はまた妻に声をかけた。火鉢には火はなかった。四月も半ばを過ぎて、火が欲しいような陽気ではない。だがそれでも、雨の日や一日中北風が吹いた日の夜などは、火鉢を使う。納戸にしまいこむのは、例年梅雨が終ってからである。

「お前さま」

はなえが、茶の間に顔をのぞかせた。笑顔になっている。

「おかげさまで、今夜には出来上がります。でもつい気をとられて、夕飯の支度がおくれました。ごめんなさい」

「気にするな。べつに子供のように腹をすかして帰ってきたわけではない」

子供と言った自分の言葉に、友助ははっとしたが、はなえは気づかなかったようである。軽い笑い声を残して、台所にかくれた。はなえの笑い声には、喉《のど》の奥で転がる軽いひびきがある。その快活な笑い声をしばらくぶりで聞いたような気がした。二人は二年前に、赤子を病気で失っている。はなえは、もともと明かるい性質だったのだが、そのことがよほどこたえたらしく、めったに笑うことのない女になっていた。

——着物で、女は気が紛れるものか。

それなら、やはり買ってやってよかったのだ、と友助は思った。

はなえが縫ってるのは、自分の着物だった。生地は羽二重《はぶたえ》だった。かなり無理をして、友助が買いあたえたものである。十日ほどあとに、はなえの実家に法事があり、そのときに着て行くつもりで、はなえは自分で仕立てているのであった。

薄給の足軽の家で、女房に絹物を着せるなどということはぜいたくだ、という考えが友助にはある。むろん、それは友助がそう考えているだけで、みんながそう思っているわけではない。

先年藩では倹約令を出し、その中で百姓、町人が絹、紬《つむぎ》を着ることを禁止した。だがそのときも、武家身分の者まで、絹物を着ることを禁じたわけではない。だからこの長屋でも、寺参りの女房がちりめんを着て家を出て行く姿を、ときどき見かけることがある。まして足軽より一段身分が上の家中《かちゆう》の武士たちは、紬、羽二重を常用してぜいたくだった。家中の中にも、木綿を着て登城する者がいないわけではないが、そういう人間はむしろ奇異な眼で見られたりする。藩の懐《ふところ》具合が苦しく、そのうち禄《ろく》米《まい》の借上げがあるだろう、などというわさが時おりささやかれる時節だったが、少なくとも上べには、それらしい変化は何もあらわれていなかった。

そういう中で、友助が絹物はぜいたくだと考えているのは、以前郷方《ごうかた》に勤めて、百姓の暮らしを見ているせいかも知れなかった。友助は、いまは御弓《おゆみ》組に属し、組長屋に住んでいるが、三年前まで、組外の足軽として三沢郷代官の下で働いていた。

百姓も、内証《ないしょう》のいい自前百姓や、長人《おとな》、組頭、肝煎《きもいり》といった村役人になると暮らしも裕福だが、小作、水呑《みずのみ》といった大半の百姓は、木綿を着るのがやっとで、絹など見たことがないという連中が多かった。数年前達しが出て、百姓の絹物を禁止したとき、友助は同僚と一緒に村々の高札場《こうさつば》に、触れ書を立ててまわったが、連中には何のかかわりもあるまい、と思ったのだった。

百姓たちは朝早く起き、夜は手もとが暗くなっても、なお働きやめない。そしてその働きは、自分たちの暮らしのためというよりは、年貢《ねんぐ》をおさめるためのようにみえた。秋、稲がみのると、代官役所では村々を回って稲作の検見《けみ》を行なう。その年の作柄を判定するわけである。その検見の結果で、その年の年貢の重い、軽いが決まる。

友助は代官役所の下役人の一人として、何度か検見に立ち会ったが、検見を受ける百姓たちの表情が、正視に耐えない不安と緊張のいろをうかべていたことをおぼえている。年貢は、期日まで全部おさめきれないときは、残った分に五割の利子をかぶせられる。それでもついに完済出来ない者は、家中の家に中間《ちゅうげん》、荒子《あらしこ》として奉公を命ぜられた。彼らは、藩にしぼり取られるために働いているように見えた。自分に残るものは、ごく僅《わず》かだった。

そして百姓からしぼり取ることに、心も痛まず、その手段に長《た》けた人間がいた。友助が代官役所にいたとき上司だった、代官手代《てだい》中台八十郎がそういう一人だった。中台は三沢郷の村々を自分の掌《てのひら》を読むように知っていた。日ごろ村々を回ってもてなしと賄賂《わいろ》をうけ、その多寡《たか》で、秋の検見を平気で加減する。ある場所で手加減した分は、ほかの場所から余分に取り立て、その厳しさと手落ちのなさは無類だった。中台は城下に大きな屋敷を構え、市中と代官役所のある大島村に妾《めかけ》を置いていた。

汚吏《おり》で酷吏《こくり》だったが、誰も手出しが出来ないのは、中台のやり方が狡猾《こうかつ》で、容易に収賄のしっぽをつかませないことと、中台が郡代の中台求馬《もとめ》の血縁に繋《つな》がっているためだった。中台求馬は、十数年藩の農政を仕切っている藩政の実力者で、郡奉行《こおりぶぎょう》、代官も中台八十郎を腫物《はれもの》のように扱った。中台は三沢郷の主《ぬし》と陰口されながら、いまも代官手代のまま郷中から金を吸い上げている。

友助が百姓に同情したのは、その暮らしぶりを見たことのほかに、中台八十郎に対する反感があったからである。だが、その同情も、代官所勤めを解かれて城勤めに変ってから、いつとはなく薄れた。しょせん友助も軽輩ながら武士で、百姓ではないからだろう。

ただ城勤めに変って、以前は気にもとめなかった、武家身分の者のぜいたくな身なりが目についた。中台のような男がしぼり上げたもので、武家がぜいたくをしているという気がした。そう思う気持はいいものではなかった。友助は自分も絹物を着なかったし、妻子にも着せるつもりはなかった。ことにはなえは百姓の娘で絹を着せないからといって不服を言うはずはなかった。そしてもともと、はなえはつつましい女である。

それが実家の法事に帰るはなえに、着て行く絹を買いあたえたのは、やはり二年前に赤子を亡《な》くしたことに原因があったかも知れない。

ひと月ほど前の、彼岸過ぎに、友助ははなえと連れ立って結城家の墓がある長誓寺に行った。彼岸の間に墓参りに行くはずだったのが、友助の非番の日を待ったので、遅れたのであった。

二

早く病死した友助の親たちの墓のそばに、去年の一周忌に建った赤子の卒塔婆《そとうば》があった。卒塔婆は風雨にさらされて、木肌がねずみ色に褪《あ》せていた。その前に花と線香をそなえながら、友助ははなえが、去年の秋の彼岸のときのように、また泣き出すのではないかと懸念《けねん》した。

赤子は男で作太郎と名付けた。だが三月《みつき》ほどで病死した。友助には、むろん父親としての悲しみがなかったわけではないが、どこかあっけにとられたような気持があった。父親らしい感情が、やっと本物になりかけたところで、子供を失ったあっけなさがあった。

だが、はなえにとっては子供の死はそういうものではなかったようである。深手を受けた獣のように、無口になり、友助にかくれてひっそりと泣いているような日が続いた。半年ほどたって、はなえはどうにか立ち直ったように見えた。だが、以前にはなかったかげのようなものがつきまとい、時どきぼんやりしていることがあった。そういうときは、死んだ赤子のことを考えているようだった。

彼岸に墓参りに来たはなえが激しく泣いたのは、一年以上も過ぎてからである。そのときは墓地に、ほかにも人がいて、友助は思わず強い口調で叱《しか》ったが、赤子の死が、まだはなえの心の中に、なまなましく傷口を開いているのを感じて気持が重くふさぐのを感じたのであった。

友助が拝み終っても、はなえはなかなか立ち上がらなかった。合掌して首を垂れている妻の、白い首筋を眺めながら、友助は今日なら墓地に人がいないから、泣かれても大丈夫だと思った。

いつまでも立ち上がらないはなえから離れて、友助は墓石の間を少し歩いた。墓石の間の道にはところどころ敷石があり、枯草がその上を覆《おお》っていた。春はまだ兆《きざ》したばかりで、墓石と枯草を照らす日射《ひざ》しは、弱よわしくまだ底冷たい。

ひと回りして戻ってくると、はなえはまだ墓の前にうずくまっていた。白い首筋と臀《しり》のまる味が眼についた。しばらく抱いていないな、とふと思った。それは立ちならぶ墓石の中で抱く感想としては、不謹慎なようであったが、早春の日射しの中にうずくまっているはなえの姿に、不安で脆《もろ》い感じがつきまとっているのをみて、自然に浮かんできた感想だった。

赤子が死んだあと、はなえはしばらく夜の同衾《どうきん》を拒んだ。そういうときこそ、肌であたためあうのが夫婦というものだろう、と友助は割りきれない気持を持ったが、はなえの考えは違うようだった。友助が手をのばすと、いやがったり明からさまな恐怖を示したりした。はなえの気持は、たしかに平衡を失っていると思えた。

だが友助は無理に強いたりはしなかった。妻をいたわる気持よりも、そういう妻の態度に、一歩踏みはずせば狂気の領域に踏みこみかねない脆いものを感じ、そのことを恐れる気持が強かった。

半年ほど経《た》ったころ、はなえが自分から友助を誘った。だがはなえが回復していないことはすぐにわかった。自分から誘っていながら、はなえは石のように無感動で、おしまいにはまるで罪をおかしているようなそぶりまで見せたのである。夫婦は、時どき夫婦であるあかしを確かめるように同衾したが、はなえのそういう態度は変らなかった。そして閨《ねや》のことは次第に間遠になった。

「ごめんなさい。お待たせして」

はなえの声に、友助は墓地の中でするにふさわしくない物思いからわれに返ったが、はなえの表情が意外に明かるいのにほっとしていた。泣かないですんだらしかった。

「今日は泣かなかったな」

と友助は言った。言ってからよけいなことを言ったと思ったが、はなえはちらと友助を見上げただけだった。

「もう、仕方のないことですから」

とはなえは言った。ほんとうにそう思っているならいいが、しかしまだ油断は出来ないな、と友助は思った。

二人は墓地を出、寺には寄らないで、そのまま門の方にむかった。門まで行ったとき、ちょうど外から入ってきた二人連れの女と擦れ違った。女二人は親娘《おやこ》とみえる年くばりで、家中の妻子らしく立派な身なりをしていた。手に切花と風呂敷《ふろしき》包みを持っているのは、やはり墓参りに来たらしかった。

友助とはなえはなんとなく道を譲り、親娘は目礼を残して、寺の本堂の方に遠ざかって行った。

歩き出してから、友助ははなえが動く気配がないのに気づいた。振りむくと、はなえはまだ親娘を眺めていた。はなえの顔には、どこか放心したような感じがあり、そのくせ眼だけ光っている。これまで友助が見たことがない、どこかあさましい感じがする露骨な視線で、はなえは二人を見送っていた。

「おい」

友助が声をかけると、はなえははっとしたように友助を見た。みるみるバツ悪い表情がその顔に浮かんだ。

「きれいなお召物でしたこと」

歩き出すと、はなえが呟《つぶや》くように言った。はなえは、二人の着物を見ていたのか、と友助は思った。

「あれはいい着物なのか」

「お母さまの方が塩瀬《しおぜ》の羽織、娘さんの方が羽二重のお召物でした」

「ほう」

と言ったが、友助にはよくわかっていない。着る物に興味を持ったことがなかった。だがはなえが絹物のことを言っていることだけはわかった。

「ああいう物を着たいのか」

「…………」

はなえはちらと友助を見た。

「実家の法事に、なにを着て行ったらいいかと思っています。結城の家の者になれたのですから、あまりみすぼらしい恰好《かっこう》もして行きたくないと考えたりして」

実家というが、大島村で長人《おとな》を勤めるはなえの家は、伯父の家だった。子供のときに両親を失ったはなえは、伯父の家で養われて育った。十八のとき、はなえは友助に嫁入ったが、伯父の家では、この縁談に気乗りしなかったという事情がある。村の長人を勤めるはなえの家は、扶持米《ふちまい》取りの足軽などよりずっと裕福である。友助が、はなえを嫁に望んだとき、伯父は、貧しいだけで、そのくせしきたりだけは士分並みに窮屈な下士の家との縁組など、何の益もないという態度を露骨に示したのであった。

二人はそれを押しきって一緒になっている。

はなえの言葉は、そういう事情を下敷きにしていた。友助に嫁いでしあわせな自分を、はなえは実家の者に見せたいに違いなかった。子供がいれば、子供を連れて里帰りすればよい。それがしあわせの証《あかし》になる。だが子供を失ったいま、せめて着飾るぐらいしかないのだと言っているようでもあった。

悪い傾向ではない、と友助は思った。子供を失って、どこか暮らしに張りあいを失《な》くしたふうだったはなえが、そういう町方の女房でも口にしそうな、俗な望みを言い出したことは、それだけ心の傷が癒《い》えたということではないか。

「買ってやってもいいぞ」

「………?」

はなえは怪しむように友助を見たが、友助の微笑をみて、ぱっと顔を赤くした。

「まあ、お前さま」

はなえはうろたえたように言った。

「愚痴を言っただけですよ。そんな高いものを、いいのですよ」

「遠慮しなくともいい。たまにはいい着物を着て里帰りするのも、気晴らしになるだろう」

絹物がどれほどの値のものか、よくは知らないが、多少のたくわえはある。それで足りなければ、同僚にひそかに小金を貸している男がいる。少しぐらい融通してもらったっていい。

「お前さま」

はなえは思わず友助に寄りそって手を取ろうとしたが、そこが往来中であることに気づいたようにあわてて離れた。離れながら笑顔をみせて、「ありがとう」と言った。

火のない火鉢の灰を、火箸《ひばし》でならしながら、友助はそのときに見せた、はなえの笑顔を思い出していた。それは深い悲しみから、漸《ようや》く立ち戻って来たとわかる笑いだったのだ。

不意に香ばしい味噌汁の香が、鼻の先に溢《あふ》れた。

「お待たせしました」

はなえが台所からお膳《ぜん》を持って、茶の間に入ってきた。はなえの声は明かるかった。

三

「藩の台所も、よほど苦しいようだの」

と同僚の陶山《すえやま》伝内が言った。

「百石につき十俵の借上げか。われわれのような切米取《きりまい》りは、これ以上減らしようもなかろうから、まず安心だが、ご家中の方がたは面白くござるまい」

友助は黙って伝内の言葉を聞いていた。二人は城をさがる途中で、五間川の川端の道を歩いている。岸に柳が芽吹いて、川の水は西に傾いた日を映して鈍く光っていた。

伝内の声は耳に入っているが、友助は別のことを考えていた。今日の昼過ぎ、友助たち足軽組の者は、城中の庭先に集められて、そこで藩公の名で出された新しい触れを聞かされた。

触れは、先に郷中に出された倹約令に続く、士分の者に対する倹約令で、祝儀《しゅうぎ》、不祝儀の簡素化、家屋の造作の遠慮、正月五節句の行事の簡素化などを命じ、衣類についても「足軽中間は、布木綿のほか一切着すべからず。襟《えり》、帯、袖《そで》へりなどにも絹物使うまじく。妻子同前のこと」と言っていた。

同じころ城中の大広間では、家中藩士が同様の言い渡しを受けていた。伝内の話によれば、その中味は百石につき十俵の借上げを命じ、衣類は絹物の着用を許すというところが、友助たちに対する触れと違っていて、ほかは同じだということだった。伝内は恰幅《かっぷく》がよく、五十近い年だが、いつも艶《つや》のいい赤ら顔をしていて、城中のことをよく知っていた。

「だが、ま、このぐらいで済めばよしとしなければなるまいな。十五年ほど前になるが、おぬしの父御《ててご》が生きておった時分のことじゃな。あのときはひどかった」

と伝内は言った。

「あの節は領内半作という不作であった。ふだんは一汁一菜、祝言《しゅうげん》も一汁三菜に酒三献《こん》ときめられてな。辛《つら》い思いをしたものだ。今度のお触れは、喰いものまでとめているわけではないからの」

伝内の関心は、もっぱら喰うことに向けられているようだったが、友助は木綿触れのことを考えていた。はなえは、明日大島村の実家に行く。しかしせっせと仕立てた絹を着ることは出来なくなったわけだった。

塩辛を買って帰るという伝内と、途中の鳥居町でわかれてからも、友助はそのことを考え続けた。

着物を仕立てあげた夜の、はなえの喜びようを思い出していた。その夜、はなえは友助に先に休んでくれと言い、遅くまで針を運んだ。出来上がると、うとうとしていた友助を起こして着てみせ、脱ぎ捨てるとそのまま友助の床の中に入ってきたのだった。はなえの振舞いに引きこまれながら、友助ははなえがただ着物のことを喜んで上ずっているのではないのを感じていた。すべてが正常だった。着物のことをきっかけに、妻が立ち直ったことを友助は信じた。

その証拠に、腕の中のはなえに、「また、子を生め」と囁《ささや》いたときも、はなえは嫌《けん》悪《お》を示さず、なまめいたしぐさで応《こた》えただけだったのである。

——また、逆戻りしないか。

そう思うと、友助は着物のことを妻に言うのがひどく気重く感じられた。だが言わずに済むことではなかった。

友助は晩酌をしないから、二人の食事はつつましく終る。食べ終ったあとに、友助は藩の達しを話した。

「こういうわけでな。家の者も同様にと申されているから、明日、村の実家に着て行くことはならん」

はなえは眼を伏せて、はいと言った。少し表情が曇ったが、それだけではなえの顔にはすぐ諦《あきら》めのいろが浮かんだ。

「せっかく夜おそくまで縫ったのに、気の毒だ。だがお上《かみ》の達しゆえ、我慢せねばならんぞ」

「わかりました。明日は木綿を着て参ります」

はなえは言ったが、ふと微笑した。

「あるものを捨てろとは申されませんのでしょ？　それなら大事にしまっておきます」

はなえの言い方があまり素直なので、友助は少し不愍《ふびん》になった。はなえはそういうが、藩では家中の禄米借上《ろくまい》げということまでしている。これといった不作でもないのに、禄米を借り、倹約を命じているのは、藩の掛り費用がそれだけ多くなっているということだった。倹約の達しはだんだん厳しくなるのかも知れないという気がした。

――作っただけで、一度も着ないでしまうことになるかも知れない。

と友助は思った。すると一枚の着物に、嬉々《きき》として心を開いたはなえの、ここひと月ばかりの振舞いが思い出された。それまでのはなえは、子が死んだときに閉じた心を、かたくなに友助にのぞき込ませまいとしていたのである。

そう思うと、はなえを欺《あざむ》いたような後味の悪さを友助は感じた。

「里へ、持って行ってはどうだ？」

と友助は言った。

「これを着てくるはずだったが、突然のお触れで出来なくなったと里の者に見せればよい。それでそなたの気持もさっぱりするのではないか」

児戯《じぎ》に類したことをすすめている、という気がした。だが、はなえの望みは、もと子供じみたものだったのだ。友助に嫁入ることに賛成しなかった里の者に、絹を着る身分を誇りたい気持だけである。そのささやかな誇りが、暮らしも貧しく、子供まで失ったはなえを支えるはずだった。

「そうしましょうかしら」

はなえは首をかしげた。眼に生気が戻ったようだった。

「そうすればよい」

友助は、はげますように言った。

「ただし、着てはならんぞ。見せるだけにしておけ」

四

はなえが、五間川の下流に身を投げて死んだのは、大島村の実家から戻ってきて、三日目のことだった。死体は南の丘陵から流れ下って五間川に注ぐ新井川が、幅広い三角洲《す》を作っている葦原《あしはら》のきわに流れついて、岸に住む村人に発見された。

葬式がすむと、友助はすぐに大島村のはなえの実家に行った。親の忌《いみ》は二十五日、妻の忌は二十日の休みの定めがある。その休みの間に、はなえの突然の自殺の原因を調べなければならないと思っていた。はなえは誤って川に落ちたのではなかった。紐《ひも》で足首を縛り、覚悟の上の入水《じゅすい》であることはわかっている。

「なにか、心あたりはありませんか」

友助ははなえの伯父の清左衛門に会うと、そう聞いた。

「こちらの法事にうかがう前までは、はなえは元気でした。法事の間に、何かあったとしか思えません」

清左衛門は、頰の赤い女中が運んできた茶を、友助にすすめてから、黙って庭を眺めている。長誓寺で行なったはなえの葬式には、清左衛門も参列しているが、あわただしい空気の中で、友助は短い言葉しかかわしていない。自殺の原因について、聞きただしたのははじめてだった。

「心あたりなど、なにもありません」

つつじの株が、赤い花を開きかけてむらがっている庭から眼を戻して、清左衛門は友助をみた。沈痛な顔色をしている。

「わたしこそ、あなたさまにそれをうかがいたいと思っていました」

「なにもない？」

友助は清左衛門をじっと見た。

「法事の間に、親戚《しんせき》の方と気まずいことがあったとか、口論したというようなことは？」

「そんなことがあるわけはありません。お知らせしましたように法事は、わたくしの連れ合いの十三回忌でございましてな。集まった者は血の濃い者ばかりで、おたがい気心が知れております」

「…………」

「法事も、十三回忌となると死なれた当座の悲しみというものも薄らぎましてな。わたくしにしてからがそういう気分でございますから、ま、慎しみがないと言われるかも知れませんが、どこやら死んだ者のお祭りという趣きもありまして、にぎやかでした」

「…………」

「はなえは、五つのときにみなし児《ご》になりまして、わたくしの連れ合いが育てました。じつの伜《せがれ》や娘もおりますが、はなえはじつの子よりも可愛《かわい》がられたものです」

「そのことは、家内から聞いています」

「そういうわけで、はなえはみんなに小さい頃のことなど聞かれて、きげんよく答えていましたな。口論などあるはずがありません」

「…………」

「法事のために作ったという羽二重の着物を、寺に着て行きましたが、立派でした」

「着物を着た?」

友助は顔をあげた。眼がさめたような気持になっていた。

「はなえは、寺にあの着物を着て行ったのですな?」

「はい」

清左衛門は、友助の緊張に気がつかないようだった。

「ご存じのように、百姓は絹物を着てはならないというお触れが出ておりまして、法事というのにわたくしどもはみな木綿でございました。味気ない世の中になったものです。それで、とりわけはなえが立派に見えましてな。仏も喜んでいるだろうと思いましたよ」

「………」

「絹物を着たのははなえ一人、いや……」

清左衛門はふと苦笑をうかべた。

「もうひと方おられました。代官役所の中台さまですな」

「中台さまが?」

友助は呻《うめ》くように言った。はなえは法事の空気にうかされて、持って行った着物を着たが、それをもっともたちの悪い人間に見られてしまったのだ。

「中台さまは法事にまで顔出ししているのですか」

「祝儀、不祝儀これといった集まりのあるところに小まめに顔を出されるお方ですな。むろん下にもおかずもてなし、帰りにはなにがしかお礼をお包みすることになりますから、無理もありません。どこの家でもということではなく、村役人を勤める家だけでございますがな」

「………」

「私の家でも、伜の祝言のとき、連れ合いの葬式のときは、一応お招きしました。だが正直のところ十三回忌などという内輪の仏事においでなさるとは思いませんでしたな」

「招きはしなかったのですか」

「はい。ところが寺に参りますと、ちゃんときておられる。まめなお方ですな」

そうか、あの男かと思った。ぼんやりと何かが見えてきたようだった。あの男なら、はなえが絹物を着ているのを見のがすはずがない。そして何かがあったのだ。

友助は、ほとんど忘れかけていた、ある記憶を思い起こしていた。それは五年も前のことだったが、そのときのささいな出来事が、友助とはなえが知り合うきっかけになっている。

五年前の、ある秋の日。友助は中台八十郎の供をして大島村の清左衛門の家にきていた。供は友助一人ではなく、牧三左衛門という中年の足軽が一緒だった。二人は清左衛門の家の広い台所の隅で、いろりの火にあたっていた。

奥座敷で酒宴が開かれていて、その席のにぎやかなざわめきが台所まで聞こえてくる。清左衛門は二人にも座敷にくるようにすすめたのだが、二人は遠慮した。それで清左衛門は、いろりのそばに二人の席をこしらえ、酒肴《さけさかな》を運ばせたのであった。

酒好きの牧三左衛門は、遠慮なく酒肴に手をつけたが、友助は酒を飲まなかった。死んだ父親の跡目を継いで、組外の足軽として三沢郷代官役所に勤め、一年経《た》っていた。たった一年だったが、上役の中台八十郎がやっていることは、おおよそ呑《の》みこめて不快な気持が胸の中に募っていた。友助は二十一だった。

中台は郷村の作毛《さくもう》を見回ると称して、ひんぱんに村々を回る。だが、田畑を見ることはほとんどなく、行った先の村役人の家で酒肴のもてなしを受けて帰るだけだった。そういう上役の供をして村に行くことに、友助は次第に耐えがたい気持になっていた。

そういう気持を言うと、同僚の牧は、それは貴公が若いからだと言った。

「中台さまがやっておることは、いいとは言えんさ。だがただやり方があくどいというだけの話でな。たとえば検見《けみ》などという仕事は誰がやっても、そんなに大きな違いがあるものじゃない。百姓をしぼり上げるということでは変らんのだ」

牧はそう言うが、友助には納得できなかった。好人物の牧には好意を持っていたが、恥じるいろもなく、いわば中台のおこぼれとでもいうべき酒に舌つづみを打っている牧をみると、腹だたしくもあり、あさましい気もするのだった。

「飲まんのか、え？」

牧は自分の膳《ぜん》につけられた徳利《とっくり》を空にすると、友助の徳利を指さした。痩《や》せて皺《しわ》が多い牧の顔は、猿のように醜く赤らんでいる。

「どうぞ、私は結構です」

友助が徳利を移してやると、牧は相好《そうごう》を崩した。

「そうか。すまんな」

牧が徳利に手をのばしたとき、茶の間の方から女の悲鳴が聞こえた。続いて乱れた足音がして台所に若い娘が走りこんできた。十六、七に見える娘は、血の気を失った顔であわただしく台所を見回したが、二人をみると走り寄って友助の陰に身体《からだ》をすくめて隠れた。

するとどたどたと重い足音がして、中台の大きな半身が台所をのぞいた。

「こんなところに隠れておる」

中台は娘をみつけると、酔いにそまった顔を仰むけて、嬉《うれ》しそうに笑った。甲高い笑い声で、長い顔の中台が歯ぐきをむき出して笑うと、馬がいななないたようにみえた。

「これ、娘。酌をせいというのがそんなにいやか」

中台はゆらゆらと台所に入ってきた。娘がまた小さい悲鳴をあげて、友助の袖《そで》をうしろからつかんだ。その手を静かにもぎ放すと、友助は立ちあがって中台にむきあっていた。

「おや、結城。どうする気だ？」

中台は立ち止まると、怪訝《けげん》そうに言った。顔はまだ笑っている。

「さてはわしのじゃまするつもりだな」

「娘はいやがっているようです。おやめになってはいかがですか」

「そうはいかんぞ、結城」

中台はすばやく娘に手を出した。だが友助は巧みに身体を回して、その手をさまたげた。二度、三度と中台は手をのばしたが、同じことだった。手は娘にはさわらず、友助の胸のあたりではばまれる。

「よせ、よせ結城。失礼ではないか」

うしろで牧がのんびりといった声が聞こえた。牧はその間にも手酌《てじゃく》で飲み続けていた。

「…………」

牧の声にあおられたように、中台の顔色が不意に変った。険悪な眼で睨《にら》むと、いきなり友助の顔を平手で打った。大きな音がしたが、友助は平然と立っていた。中台は続けざまに友助の顔を張った。友助は顔色も変えずに平手打ちを受けたが、中台が残忍な表情になって一、二歩さがり、刀のつかに手をのばしたとき、ひややかに声をかけた。

「血迷われましたかな」

中台がつかに手をかける一瞬前に、友助の左親指が刀のつばを押しあげていた。中台の動きがそのままとまった。友助は城下の八代町にある足軽の武術道場で小太刀《こだち》の免許をとり、柔術にもすぐれている。中台はそのことを知っていて、郷村見回りに供をさせていた。そのことを、中台は思い出したらしかった。酔いのさめた顔で、しばらく友助を睨んだが、ふと顔をゆがめると背をむけて台所を出て行った。

「気味がよかったのう。ヒッヒ」

と牧が笑った。牧はすっかり出来上がって、おぼつかない手つきで酒を注いでいる。

娘が言って、牧に酒を注ぎ、友助にも徳利をむけた。

「ありがとうございました」

「いや、私はいらん。そちらに注いでくれ」

友助は手を振って言ったが、そのときになってはじめて娘の顔を見た。娘も友助を見つめた。恐怖からときはなされて、娘は上気した顔いろになっていた。品のいい瓜《うり》ざね顔で、眼がいきいきと光り、小さな唇が、桃いろの花びらのように見えた。美しい女子《おなご》だ、と友助は思った。中台のしつこさと、娘のおびえようからみて、友助は中台が酒の酌を無理強いする以上のいたずらを、娘に仕かけたのではないかと思ったが、娘を見てその勘があたっていたように思った。中台は好色な男で、美しい女を見のがさないのだ。

——しかし、この女をかばったために、俺は勤めを変えさせられるかも知れんな。

と友助は思った。だが不思議に、中台はそのときのことについては何も言わなかった。友助はそれからさらに一年代官役所に勤め、その間に中台の手から助けたその娘と恋におちて娶《めと》った。それがはなえだった。仲人《なこうど》をしたのは牧三左衛門である。

そのときも、中台は何も言わなかったので、友助は中台ははなえの一件を忘れたと思ったのだ。だがその男が、五年たってはなえが禁制の絹を着ているのを見たとき、なにを考えたか、知れたものではない。

友助は胸がさわぐのを感じた。

「清左衛門どの」

友助は真直《まつす》ぐ清左衛門を見て言った。

「じつは今度藩中にもお触れが出て、われわれ下士も絹物を着ることをとめられました」

「…………」

清左衛門の柔和な顔に、不審そうないろが浮かんだ。

「と、申しますと？　それはいつからですか？」

「はなえがこちらにくる前日のことです。だからはなえは、あの着物を着てはならなかったのです」

清左衛門の顔に驚愕《きょうがく》の表情が浮かんだ。

「あの子は、そのことを知っておりましたか？」

「むろんです。せっかく作ったものだから、持って行って見せたらどうかと、私が言いました。着てはならんと念を押したはずですが、持たせたのが、私の間違いでした」

「…………」

「はなえと中台さまは、何か話をしていましたか」

「そういえば、法事が終ってから、寺の本堂脇《わき》の縁側で、中台さまがはなえをつかまえて何か話しかけているのを見た気もしますが」

「そのあと、はなえの様子が変ったようには見えませんでしたか」

「それは気づきませんでした。内輪といっても、三十人近い人が集まっておりましたから。そうそ、その日の七ツ（午後四時）ごろ、帰ると言って挨拶《あいさつ》に来たが、べつに変ったところは……」

「その日？」

友助は鋭い眼で清左衛門を見た。

「はなえは、その晩はこちらに泊まったのではありませんか」

「いえいえ、泊まらずに帰りました。泊まったのは前の夜だけです」

清左衛門は言ったが、すぐに友助の質問の意味をさとったようだった。暗い眼で友助を見て、やがて何度もうなずいた。

「そうですか、あの晩は、はなえは帰っていませんか。結城さま、はなえはそのために死にましたか」

五

「葬式に出られんで、相すまなかった」

顔をあわせるとすぐに、牧三左衛門はそう言った。はなえの葬式に、牧は妻女だけをよこしていた。

一年ぶりに顔をあわせる牧は、横びんのあたりに白髪《しらが》がふえ、顔の酒やけが濃くなったようだった。相かわらず中台の供をして、酒をのみ回っているらしかった。

「あの日は折あしく隣の赤石郷の役所まで、使いに行っておっての。申しわけなかった」

「いえ、そのことならお気づかいなく。奥さまに出て頂きましたし、過分に存じています」

友助は言ってから、まっすぐ牧の眼を見すえた。

「じつは少々うかがいたいことがあって参りました」

「何かな？」

と言ったが、牧の眼はあきらかに動揺していた。

「むつかしい話なら、ちょっと外に出ようか」

牧は役所の建物から、友助を外に誘った。三沢郷代官役所は、土地の旧家が潰《つぶ》れたあとを買い取って、そのまま役所に使っている。広い敷地には、牧たち下役人が住む長屋も建っていたが、牧は長屋の方にはいかず、大きな柳が芽吹いている池のそばに友助を導いた。

友助がいた時分は、きれいに手入れされていた池は、ひどく荒れていた。浅い水の中に、去年の枯葦《かれあし》が折れ曲って散乱している。その中に青い新芽がのぞいていた。石の位置もずれ、庭木も枝がのびほうだいで、手入れされた様子がないあたりにも、藩の財政の苦しさがあらわれているようだった。

「はなえどののことだろ、用件というのは」

柳の下まで行くと、牧は急に振りむいてそう言った。

「わしの口からは言いたくない。しかし貴公がたずねてきたら、言わんわけには行くまいと思っていた」

「二十七日のことをうかがいたいのです」

「むろん、二十七日のことだ」

「その日、はなえがここに来たのですな」

「来た。中台に呼ばれていると申してな。奥に通った。そして、さよう六ツ（午後六時）過ぎじゃな。中台は駕籠《かご》を言いつけてはなえどのを乗せ、自分は馬でここを出て行った。城下へ行くと申しておった」

「………」

「わしが見たのは、それだけだ」

「牧どのに、はなえは何か言いましたか」

「中台に呼ばれていると申すから、なにやらよくない勘が働いての。なんのために会うかと、わしが聞いた。はなえどのは言いたくない様子だったが、しまいに悪いことが見つかって、ここへ来るようにと言われたと申した。悪いこととは何かの？」

「…………」

「わしが知っていることはこれだけだが、もうひとつわかっていることがある。はなえどのが死んだのは、間違いなくきゃつのせいじゃな」

　牧は上役をそう呼び、そのときだけ険しい表情をした。

「いま、おりますか？」

「いや、今日は城に行っている。近ごろはひんぱんに城の御用があるようで、例の村回りもご無沙汰《ぶさた》しているようじゃ」

「中台さまの屋敷は知っていますが、妾《めかけ》を囲っているという家はどのあたりですか」

「狐《きつね》町じゃ。あそこに狐面をした女が囲われておる。おりかという名じゃ。一度使いにやられたことがある」

　牧はいまいましそうに言ったが、ふと気づいたように一層声をひそめた。

「結城。しかし軽はずみなことをするでないぞ。相手は人間の屑《くず》じゃ。軽挙妄動《もうどう》して身をほろぼすなどはつまらん話じゃ」

　三沢郷から帰ると、数日友助は家に閉じこもり、一歩も外に出なかった。しまいには家の中にあるものを喰いつくし、何も食べるものがなくなったほどである。

友助は大目付に提出する訴状を書いていた。三沢郷代官役所に勤めた二年の間に見聞した、手代《てだい》中台八十郎の非行を数え、丁寧に綴《つづ》った。

はなえが、中台にはずかしめられて死んだことはあきらかと思われた。代官役所で牧三左衛門に会ったあと、友助は代官役所のすぐ前にある駕籠屋をたずね、はなえを乗せた駕籠が、その夕方はなえを城下狐町の一軒の家に送りとどけたことを確かめている。その夜、はなえは多分中台の妾宅《しょうたく》と思われるその家に監禁され、暴行を受けたのだ。

あるいは、はなえははずかしめを受けることを承知で、中台の妾宅に行ったかも知れない、という気もした。はなえは、自分の軽率さから、結城の家に罪科がおよぶ羽目になったことをさとったに違いなかった。だから中台に言われると、さからうこともせず代官役所に中台をたずね、さらに命ぜられるままに狐町まで行ったのだ。そのときから、はなえは死んだ気だったのかも知れない。

帰ってきてから、死体になって発見されるまで、二日の間の異常にやさしかったはなえのことを、友助は思い出していた。うるさいほどつきまとい友助の世話をやいた。そして三日目の朝、目ざめたときははなえの姿は家の中から消えていたのである。

ひょっとしたら、はなえを殺したのは俺かも知れない。筆をとめて、友助はその悔いにぎりぎりと胸を刺されることもあった。着物を持たせなければ、たとえはなえが中台に会ったとしても、何ごとも起こらなかったかも知れない。だが、それは考えても仕方ないことだった。はなえはただ一度羽二重《はぶたえ》を着、そのために中台にはずかしめられて死んだ。その事実だけが残っていた。

中台を斬《き》ることはたやすいことだった。だが、それだけでは腹がおさまらなかった。あの男の醜さを天下に示し、はずかしめてやりたいと友助は思っていた。

訴状が出来上がると、友助は荒れはてた感じの家の中で、ひっそりと髪を調え、髭《ひげ》をそって城に行った。会所《かいしょ》の入口で、番士に大小をあずけた。公事《くじ》を望んで訴状を提出する者は「上下を論ぜず刀、脇差を帯びざること」と定められている。

友助は一室に通され、しばらく待たされた。狭い部屋に、ぽつんと机ひとつが置かれ筆と硯《すずり》の用意があるだけで、ほかに何の飾りもない部屋だった。

やがて、眼の鋭い五十前後の武士が部屋に入ってきた。武士は机の向うがわに坐《すわ》ると、持ってきた紙を机の上において、じろりと友助を見すえた。

「訴えがあると申すのは、その方か」

「はい」

「姓名、身分、属する組を聞こう」

武士は筆を構え、友助の言うことを書きとめ、それから手をのばした。

「どれ、拝見しよう」

友助が懐《ふところ》から出した訴状を、武士は受取ってすぐに開いて読みくだした。長い沈黙が続いた。

不意に、武士は身じろぎし、高い咳払《せきばら》いの音をたてた。それからさらさらと音をたてて紙を巻きおさめ、友助を見た。

「聞きしにまさるものじゃな」

武士は少し柔かい口調で言った。

「話は聞いておったが、誰も訴え出る者はおらん。目付も動かん。だがこうして訴状が出れば、捨て置くというわけには行くまいて」

武士はおしまいの方をひとりごとのように言った。それから、また鋭い眼で友助を見すえるようにした。

「なにか、私の怨《うら》みでもあるか」

「は？」

「いや、中台八十郎に対して、私の怨みを持っておらんかと聞いておる」

「いえ、そのようなものはございません」

友助は隠した。はなえのことは、誰にも言うべきことではなかった。

武士は、なお二、三友助を問いただしたあと、清村内匠《たくみ》だと自分の姓名を名乗り、追って呼び出しがあるまで、家で待てと言った。

だが十日たち、半月たったが、会所からの呼び出しはなかった。忌《いみ》の休みが明けて、友助は登城して勤めについたが、それでも何の音沙汰もなかった。そして梅雨に入った五月のある日、友助は組頭に呼ばれて一カ月の謹慎を命ぜられた。理由は、もとの上役に対して、いわれのない誹謗《ひぼう》を言いたてたというものだった。同じころ友助は、訴状を受理した徒目付《かちめつけ》清村内匠が、役目を解かれたことを聞いた。

牧三左衛門の手紙は、中台八十郎が、郷村方役人の集まりに出るため、七日間城下にとどまり、十七日に三沢郷に帰ってくるはずだと書いてあった。

友助は牧に手紙をやって、中台が城下にくるときは知らせてくれるように頼んでおいたのである。この手紙が、友助の待っていた返事だった。だが十七日は明日である。中台八十郎は今日一日しか城下にいないわけだった。

友助はもう一度牧の手紙の日付を確かめた。日付は十四日になっている。中台が城に出かけてからも、牧がなお二、三日はそのことを友助に知らせることをためらったあとがうかがえた。

友助は、火鉢の上に牧の手紙をかざし、火をつけて燃やした。それから立ち上がって着換えをはじめた。箪笥《たんす》の奥から取り出したのは、父親が着た絹物の綿入れだった。友助はためらわずにそれを着た。男物の絹の衣服はそれしかなかった。その上から麻の羽織を着た。終ると部屋の中に立って、ぐるりとあたりを見回した。心残りなものは、なにもなかった。寒むざむとした部屋のたたずまいが、眼に映っただけである。

狐町の中台の妾宅に着いたとき、まだあたりは明かるかった。はじめ女中が出てきて、名前を聞き、次に中台の妾と思われる女が出てきた。細面のきれいな女だった。女は着ぶくれた友助の恰好《かっこう》に、奇異な眼をみはりながら言った。

「あの、いま留守でございますが」

「承知しております。こちらで待つようにという中台さまの仰《おお》せで参りました。お帰りになるまで待たせて頂きます」

「さようですか」

女はまだとまどうふうで顔を伏せたが、ではどうぞ、と言った。

通された座敷は、障子が開け放してあって、庭から涼しい風が吹きこんでいた。汗がひくようだった。庭はそれほど広くはなかったが、外から小流れを引きこんでいて、たえず小さな水音がしている。ぜいたくに作ってあった。

女中がお茶を出して引きさがったあと、家の中はしんと静まりかえってしまった。ただ庭の水音だけが、きれめなく続いている。

庭を照らしていた赤い日射《ひざ》しが、すこし薄れたころに、玄関に人声がし、やがて中台の荒々しい怒声がひびいた。友助はその声に無表情に耳を傾けた。

大きな足音が、廊下を踏んで近づいたと思うと、座敷の入口に中台の大きな身体《からだ》が立ちはだかった。刀をわし摑《づか》みにしている。

「何の用だ、結城。貴様など呼びはせんぞ」

「ま、お坐りになってはいかがですか」

友助が身体を傾けてそういうと、中台はしばらく友助を睨《にら》みつけたが、不機嫌な顔で座敷に入ってきた。

「用があるなら早く申せ。わしはいそがしい」

言ってから中台は、口をゆがめて言いなおした。

「どうせろくな用ではあるまい。貴様が会所にわしを訴え出たことは聞いておるぞ。や、結城。きさま！」

中台は友助の胸のあたりを指さした。友助は座敷に通されるとすぐに、羽織を脱いでそばに畳んでいた。

「着ておるのは絹物ではないか」

「さすがにお目が早いようですな」

「どういうつもりだ。そんなことをして、ただではすまんぞ」

「そう言って、はなえを脅《おど》しましたかな」

「はなえ？　ああ、貴様の女房か」

中台は顔をそむけた。

「貴様の女房のことなど知らん」

「そうは言わせませんぞ。家内は四月の二十七日にこの家にきております」

「なにをばかな！」

「あなたは代官役所から、家内を駕籠《かご》でこの家まで運ばれた。そしてその夜、ここに住む女子《おなご》を外に泊まらせましたな。いや、言いわけはもう無用です。この家の権蔵という小間使いの親爺《おやじ》に、そのことは確かめてある」

「…………」

「言うことをきかなければ、お上《かみ》に訴える。そうなれば自分だけでなく、亭主も結城の家名も危いとでも言いましたか。それでは、あの臆病《おくびょう》な家内が、どう手むかえるものでもない。死んだ者同然に、言うことをきいたはずです」

「それでいいではないか、結城」

傲然《ごうぜん》と中台が言った。

「じじつそのために結城の家にも、おぬしにも、何の咎《とが》めもないではないか」

「しかしそのために、家内は死にましたぞ」

「そんなことは、わしは知らん。女が勝手に死んだのだ」

「あなたは、人間の屑《くず》だ」

友助は少し後じさると、片膝《かたひざ》を浮かした。

「貴様、なにをするつもりだ」

中台が怒号して刀を摑みあげた。その一瞬前、友助は片膝を立てた姿勢のまま、抜き打ちに中台の肩を斬った。中台は悲鳴をあげて立ち上がると、横の縁側にのがれようとした。その背後から、友助は据えものを斬るように肩から背にかけて斬り下げた。中台は障子にすがったが、そのままずるずると膝を折り、やがて縁に半身を乗り出すようにし倒れると、動かなくなった。

これだけ大きな物音がしたのに、家の中はしんとしている。友助は座敷の中央にもどると、正座して腹をくつろげた。庭に水音がひびき、家の中はなお静まりかえって、腹を切るのをさまたげる者は、誰もいないようだった。

小川の辺《ほとり》

一

戌井《いぬい》朔之助《さくのすけ》が入って行くと、月番家老の助川権之丞《ごんのじょう》は、ちらと振り向いただけで、あとを閉めてこちらに寄れ、と言った。

助川は、机の脇《わき》に山のように帳簿を積みあげて執務中だった。朔之助は、言われたとおりに襖《ふすま》を閉めて中に入ると、助川の斜め後ろに坐《すわ》った。部屋の中には真白な障子を通して、午後の明るい光が流れこんでいる。その光の中に、家老の横顔にあるしみや、鬢《びん》に塊《かたま》っている白髪《しらが》が浮き出ている。

執務部屋に入るのは、はじめてだった。立派な黒檀《こくたん》の机が置かれ、大きな火鉢に鉄瓶《てつびん》が小さく鳴り、部屋の隅には行燈《あんどん》が置いてある。床脇の違い棚に硯箱《すずりばこ》が二つもあり、その下の刀架に家老のものらしい刀が懸けてある。床の間の軸の下に、唐金《からかね》の花瓶が置いてあるが、花は挿《さ》されていない。

「や、待たせたの」

助川は、筆を置くと、不意に朔之助に向き直った。そして向き合うと、助川は小柄な老人だった。小柄だが眼が鋭く、精悍《せいかん》な顔をしている。

「茶を飲むか？」

「いや、それがしのことは、斟酌《しんしゃく》なく」

「そうか」

助川は、火鉢のそばに置いてある盆から、小さな湯呑《ゆのみ》を取り、鉄瓶から湯を注いだ。平たく黒い鉄瓶は、いっとき音を立てるのをやめたが、火の上に戻されると再び静かに鳴り出した。

白湯《さゆ》を啜《すす》りながら、助川は畳に視線を落とし、なかなか用件を言わなかった。朔之助はさっきから胸に蟠《わだかま》っている重苦しい気分が、いよいよ胸を圧迫してくるのを感じた。

——あのことに違いない。

強い緊張にとらえられながら、朔之助はそう思い、なかなかものを言わない家老を見守った。

いま藩では、脱藩した佐久間森衛に討手《うって》を出している。佐久間は脱藩するとき妻を同行した。子はなかった。その佐久間の妻が、朔之助の妹である。そのことについて、藩から戌井家に対する咎《とが》めはなかったが、戌井家では妹夫婦の身の上を案じて、ここ半月ほど大きな声で物を言うのも憚《はばか》る気持で暮している。

「じつは……」

助川が顔を挙げた。

「中丸徳十郎が帰ってきた」

「………」

朔之助は胸が重おもしく揺れ動いたのを感じた。すると森衛は討たれたのか。田鶴《たず》はどうなったのかと思った。

「いや、中丸は病気で帰ってきたのだ」

「すると佐久間は？」

「まだ討ち止めておらん。居所はおよそ摑《つか》めておるらしいが、徳十郎は刀も揮《ふる》えぬ有様での。江戸から引き返して参った」

「………」

「そこでな。藩ではかわるべき討手をさしむけねばならんので、早速相談したが……」

助川は真直《まっすぐ》朔之助を見た。憂鬱《ゆううつ》そうな視線をしばらく朔之助にそそいでから、助川はぽつりと言った。

「討手は、戍井朔之助に決った」

「それは……」

朔之助は絶句した。一瞬家老が言ったことが正確に摑めなかったほど、混乱した気持に襲われたようだった。いずれ話は佐久間のことに相違ないと思って来たが、こういう命令は予想の外にあった。

「まことに名誉な申しつけではございますが……」

朔之助は漸《ようや》く口を開くと、押しかえす口調になった。

「このご命令は受け兼ねまする」

「そう申すだろうことは、こちらではわかっておった。無残といえば、まことに無残。しかし我らがそう決めた事情も承知してもらわねばならん」

「…………」

「徳十郎のかわりに立ち合って、佐久間に勝てるほどの者は、見わたしたところ、そなたのほかにおらんということで一致したのだ。藩としては、そなたには気の毒ながら、背に腹はかえられんということじゃ。徳十郎が空手で戻ったことについては、すでにお上《かみ》はひどく機嫌を損じておられる。我らもいい加減な人選は出来ん立場でな」

「しかし、一人と言わず両三人もさしむければ、佐久間を仕留めることは出来ようかと存じますが……」

「森衛の女房は、そなたと同じ直心流を遣うそうではないか」

「は。いささか」

「すると、かりに二、三人を差しむけるということになると、女房も手向うだろうから修羅場になりはせんか」

「あるいは。田鶴は気が強い女子《おなご》でござりますゆえ」

朔之助は言ったが、沈痛な顔を挙げてきっぱり言った。

「しかしそれは止《や》むを得ませぬ。わが家では、そういうこともあろうかと、すでに覚悟を決めておりますれば」

「しかしそなたが行けば、森衛の女房も兄には手向うまい。お上は、女房のことは打捨てておけと申されておる。そなたが行けば、命助かるというものじゃ」

「………」

朔之助は眼を伏せた。田鶴は子供の頃から気性が激しい女だった。今度の佐久間の脱藩は、藩主に逆らって謹慎を命じられている間の出来事だったが、後に残された召使いから朔之助が聞き糺《ただ》したところによると、田鶴が脱藩をそそのかしたのではないかと思われる節《ふし》があった。田鶴は、討手が兄だと知って、おとなしく夫を討たせるよう女ではない。

「むかし、すでに十年余にもなろうか。いま物頭《ものがしら》をしておる石崎軍兵衛が、弟の兵馬を討ちに参ったことがあった。お上に仕える者は、時にそういう悲惨な立場を忍ばねばならんこともある」

石崎の話は、朔之助も子供の頃だが耳にしている。だが、兵馬は遊里に出入りしていて、そこで人を斬《き》って脱藩した男で、石崎家の鼻つまみだった。軍兵衛の異母弟だった。

「森衛は義弟、そばに肉親の者がつき添っているというそなたの苦衷はわかるが、断わっては戌井の家も立場が苦しくなるぞ」

「このことは、すでにお上もご存じのことでございますか」

「すでに申しあげた。早々にはからえとお苛立《いらだ》ちでな。止むを得なかった。ゆえにこれはそなたに相談をかけておるわけではない。主命だぞ」

朔之助は沈黙した。もはや退路は断たれているようだった。沈黙している朔之助の脳裏を、佐久間森衛に寄りそって、どことも知れない野道を、顔をうつむけて急ぐ田鶴の姿が小さく遠ざかろうとしていた。

二

「ほかの方にお願いすることは出来なかったのですか」

朔之助の言うことを聞き終ると、母親の以瀬《いせ》は顔色を変えて言った。

「いくらお上のお言いつけとは申せ、あんまりななされ方ではありませんか」

「お上の処置をとやこう申してはならん。口を慎め」

腕組みをして、朔之助の言うことにうなずいていた父の忠左衛門が、ぽつりと叱《しか》った。

「むろん、その役目は引き受け難いと、申しあげたわけでござる。しかししまいには、断わっては戌井家の立場が悪くなろう、とご家老のお言葉もあり、すでにお上に言上済みとあっては手遅れと存じ、受け申した」

「戌井の家の立場とはどういうことですか、朔之助どの」

以瀬はきっと顔を挙げて、息子をみた。母親が、畳を叩《たた》いて迫ってきたように、朔之助は感じた。

「されば……」

朔之助は眼を伏せたまま言った。

「佐久間が出奔し、しかもその連れ合いは戌井家の者。それだけでも、わが家にも何らかのお咎めがあっても止むを得ない立場にあることは、母上にもおわかりでござろう」

「それはようわかります。だからこそこうして、一切外にも出ずに慎んでいるではありませんか」

「しかしお上は、わが家には咎めは下されなんだ。しかしこのうえご下命を辞退しては、お上の寛大さにも限りがあろう、とご家老は申されるわけでござる」

朔之助が言ったとき、襖が開いて妻の幾久《きく》が入ってきた。幾久は朔之助のうしろにひっそりと坐った。

「主命じゃ。朔之助が申すとおり、もはや拒むことは出来ん」

忠左衛門が、結論をくだすように言った。だが以瀬はなおも喰い下ってきた。

「田鶴を、どうなさるつもりですか、朔之助どの」

「むろん、連れ帰るつもりでおります。お上は田鶴にはお咎めを下しておりません」

「私が心配しているのは、それより前のことです。田鶴が手むかったら、どうしますか」

「まさか、実の兄にむかって、斬りかかりもしませんでしょう」

朔之助はそう言ったが、確信があるわけではなかった。田鶴が邪魔すると、厄介なことになりそうだった。佐久間は尋常の遣い手ではない。

「もし斬りかかってきたときは、どうなされますか」

以瀬は執拗《しつよう》に言った。以瀬も気性の激しい女で、戌井家の母娘《おやこ》は、その点で共通している。田鶴は小さい頃、母親の溺愛《できあい》をうけて育っている。我儘《わがまま》で、恐《こわ》いもの知らずの娘のまま、佐久間に縁づいた。

「そのときは斬れ」

不意に忠左衛門が言った。きっぱりした声だった。忠左衛門は郡代まで勤めて、二年前病身を理由に致仕《ちし》を願い、朔之助に家督を譲っている。隠居してからは、朔之助をたててひっそりと暮しているが、いま家長の立場に返ってそう言ったようだった。

「まあ、お前さま」

以瀬はきっとなって忠左衛門を振り向いたが、忠左衛門の厳しい視線にぶつかって、弾《はじ》き返されて落ちたようにうつむいた。その髪に白いものが目立って、行燈の光に浮いているのを、朔之助は傷ましい気持で眺めた。

「斬りは致しませぬ。私におまかせ下さい」

と朔之助は言った。以瀬は、それに答えずに、少しずつ忠左衛門に膝《ひざ》を向け変えると、低い声で詰《なじ》りはじめた。

「お前さまが、朔之助と田鶴にしたことは、間違っておりましたよ。二人や新蔵に剣術を仕こんで、それでどうなりましたか。剣術にすぐれていなければ、朔之助どのが討手に選ばれることもなかったでしょうし、兄妹《きょうだい》の斬り合いなどと恐ろしい心配もすることはなかったでしょうに」

忠左衛門は黙然と天井を見上げている。忠左衛門は、少年の頃父親が江戸詰になった年に随行して江戸に行き、紙屋伝心斎の門に入った。以来直心流ひと筋に修行して、家督を継いでからも、江戸詰の間に研鑽《けんさん》を積み、二十四のとき免許を得た。戌井家は三百石を喰《は》み、家中上士として役職につく家柄だったが、忠左衛門は、剣の修行のために役を持つのが遅れたほどである。

そういう忠左衛門であるから、子の朔之助が木刀を握れるようになると、早速剣術を仕込んだが、やがてその稽古《けいこ》に、妹の田鶴、戌井家で先代の時から若党を勤めてきた利兵衛の子、新蔵が加わるようになった。新蔵は忠左衛門に命じられたからだが、田鶴は自分から父に願って、稽古を受けたのである。

直心流では他流試合を禁じていた。だが、朔之助は四年前に、海坂《うなさか》城下でもっとも人気がある一刀流の浅井道場で試合をしている。その手配をしたのは父の忠左衛門である。試合は、浅井道場で師範代を勤める戸田弥六郎との間に行われ、三本勝負の約束だったが、最初の勝負に朔之助が勝つと、戸田は後の勝負を辞退した。

当時勝った戌井も戌井、後の勝負を捨てた戸田も戸田と評判になった。二人の試合はそれほど見事な試合として、見た者の印象に残されたのである。

その朔之助の剣を呪詛《じゅそ》するように、以瀬は忠左衛門を詰っていた。白髪が目立つ母が、そうして綿々と父を詰っているのを見ながら、朔之助は耐え難いような気持になっていた。一家に覆《おお》いかぶさってきている不幸の異常さが、母の上に現われているようだった。以瀬は気性の激しい人間だが、人の前で、夫を詰るようなことはしたことがない筈《はず》だった。

「あれは、どこまで不しあわせな子であろ」

以瀬は言うと、不意に両掌で顔を覆った。以瀬は明らかに取り乱していた。小さな肩が顫《ふる》えるのをみながら、朔之助は父に一礼して立ち上がった。

廊下に出ると、そこに人影が蹲《うずくま》っていた。

「新蔵か。何をしておる」

「若旦那《わかだんな》さまに、お願いがあって、控えておりました」

新蔵は低い声で言った。

「それでは、わしの部屋に来い」

朔之助は先に立って奥の自分の部屋に行った。部屋は暗かったが新蔵が行燈《あんどん》に灯を入れた。

「冷えるのう」

「はい。三月の夜とは思えませぬ」

花の季節で、この間は五間川の堤防にある桜並木でしきりに花見客がにぎわったばかりである。だが桜が散ったあと、また冷えがぶり返してきたようだった。朔之助は、呼ばれて行った家老の執務部屋に、火桶《ひおけ》が置いてあったのを思い出した。

「話というのは何だ、新蔵」

新蔵は父親の利兵衛が病死したあと、受け継いで戌井家の若党を勤めている。

「そのことでございます」

新蔵はうつむいて言ったが、不意に畳に手をついた。

「若旦那さま。今度の旅に、私をお連れ頂くわけに行きませんか。ぜひとも、お願いしとうございます」

「聞いたのか。少し不謹慎だぞ」

朔之助は小声で言った。

「申し訳ございませぬ。皆さまのご様子が、徒事《ただごと》とも思えませんもので、ご無礼とは存じましたが、廊下でおうかがい致しました」

「わしについて行ってどうするつもりだ」

「佐久間さまの居所を探すにしても、お一人では苦労でございましょうし、お連れ頂ければ、お役に立てると存じます」

「場所はおおよそわかっておる。城を下がる途中、中丸を見舞って聞き出したが、行《ぎよう》徳《とく》の渡し場付近で、買物をしている田鶴を見たものがいるそうじゃ。中丸はそのあたりに見当をつけておった」

「それにしても、若旦那さまがお探しになっては目立ちましょう」

「田鶴が心配か、新蔵」

と朔之助は言った。新蔵は膝に手を置いたまま、黙って朔之助を見た。新蔵の浅黒く引きしまった顔には、朔之助を非難しているようないろがある。新蔵は戌井家の奉公人だが、戌井家の屋敷の中で生れ、子供の頃は朔之助たちと兄弟同様にして育った。年は田鶴よりひとつ上である。いまも朔之助は、新蔵を並みの奉公人扱いにはしていないつもりだった。新蔵が藩命を引きうけた俺を非難する気持はわかる、と思った。

「手むかってきても、田鶴を斬ったりはせん。だが心配なら、連れて行ってもいいぞ」

「ありがとうございます」

新蔵は弾んだ声で言った。浅黒い顔に血がのぼったようだった。

「それでは私も、すぐに支度を致します」

その夜、朔之助は幾久を抱いた。朔之助の愛撫《あいぶ》は、いつもより長く荒々しかったが、幾久もいままでになかった乱れを見せた。

「お気をつけて下さりませ」

打ち倒されたもののように、闇《やみ》の中に横たわっていた幾久が、やがて朔之助の手を探ってきて、そう囁《ささや》いた。田鶴は、かならず手むかってくるだろう。幾久に手をゆだねながら、朔之助はそう思った。田鶴は、朔之助の推察に間違いなければ、夫に脱藩をすすめたのである。謹慎している佐久間に、さらに重い処分がくだることを、女の直感で見抜いたのかも知れなかった。田鶴は、それほど強く夫と結ばれていたとも言える。そうであれば、夫が討たれるのを、手をこまねいてみている筈はなかった。

三

朔之助と若党の新蔵は、翌朝早く海坂の城下町を発《た》った。上意討ちの討手《うつて》は、夜分か早朝に、ひそかに立つ慣わしである。まだ暗いうちに起きて旅の支度を調えた幾久と下婢《かひ》のかねに門の外まで見送られて、二人は出発した。町を抜けるまで、二人は人には会わなかった。ふだんより広くみえる町通りに、重い朝靄《あさもや》が立ち籠《こ》めていただけである。

靄は町を離れて、左右に田と桑畑が続く街道に出ても、雨の日のように視界を暗く塞《ふさ》いでいた。その中を、二人は無言で足をいそがせ、町を後にした。

小一里ほど歩いたとき、突然のように日光が射《さ》し、靄はしばらくの間白く日に輝いたあと、急速に消えて行った。行く手に、まだ山巓《さんてん》のあたりに雪を残している山が見えた。海坂領は三方を山に、一方を海に囲まれている。里に近い山は、早く雪が消えるが、その陰に、空にそばだって北に走る山脈《やまなみ》には、六月頃まで斑《まだら》な残雪がみられる。

道は少しずつ登りになっていた。そしてあたりの田は、まだ冬を越したままで、枯れた稲の株を残していた。しかし畦《あぜ》には雑草が白い花をつけ、木々は芽吹いて日に光っている。この道を、田鶴は佐久間と一緒に行ったのだ、と朔之助は思った。

「佐久間さまのお咎《とが》めでございますが……」

後から新蔵が話しかけた。新蔵もあるいは同じようなことを考えたのかも知れなかった。

「脱藩しなければならないほどの、重いものでございましたか。私はそのようには聞いておりませんでしたが……」

その疑問は、朔之助にもあった。

今年の一月、佐久間森衛は藩主あてに一通の上書を提出した。佐久間は郡代次席を勤めていた。上書はその立場から、一昨年、昨年と二年におよぶ農政の手直しで、郷民がどのような窮地に追いこまれたかを、十八項目にわたって実例を挙げて示し、思いつきの手直しをやめて、抜本的な農政改革に着手すべきこと、それが出来なければ、実施した小刻みな改変をすべてご破算にして、旧に戻してもらいたいと述べたものだった。

上書は、農政の手直しを指示した藩主主殿頭《とのものかみ》を直接に批判した痛烈なものだったが、目的は藩主の政治顧問ともいうべき立場にいる、侍医鹿沢堯伯《ぎょうはく》を斥《しりぞ》けることにあることは明らかだった。主殿頭の指示が、堯伯の意見をそのまま採用していることは、藩内では誰知らぬものがいない。堯伯は藩主家の侍医を勤めると同時に、長年藩主に経《けい》書《しょ》を講義して信頼されてきた学儒でもあり、ここ数年藩政に容喙《ようかい》する姿勢が目立っていたのである。

藩では数年前、二年続きの凶作に見舞われ、その傷手《いたで》がまだ回復していなかった。多数の潰《つぶ》れ百姓を出し、領内にはまだ、荒地と化した田畑が残されている。その凶作の間、どうにか飢えをしのぎ切った百姓も、まだ疲弊から立ち直っていなかった。凶作は、単純に悪天候のためとも言えない農政上の失策、水利の不備、開墾田の地理選定の誤りなどを含んでいたため、藩では農村の疲弊回復をはかると同時に、根本的な農政の立て直しを迫られていた。

藩執政たちは、むろんたびたび会議を開いて政策を練ったが、姑息《こそく》とも思える倹約令を両三度出しただけで、有効な施策を打ち出せないまま苦慮していたのである。その間に、藩主主殿頭が指示してくる農政上の改変を、次々と無気力に受け入れたのも、執政たちの自信のなさを示したものだった。

受け入れたものの、鹿沢堯伯が献策し、藩主が指示してくる農政の手直し策を、郷村回復に有効な施策だと認めていたわけではない。郷村は、いわば病人だった。下手にいじることは命取りになりかねないという議論も、執政会議の席上でなかったわけではない。だがそれを藩主に言う者はいなかった。

そういうときに出された佐久間の上書は、激怒した主殿頭が、佐久間の処分を諮問《しもん》してきた執政会議で、逆に一致して支持された。上書の内容は、思いつきの指示が、どういう悪い結果を招いたかを適確に指摘し、真の立て直し策のありようを示唆《しさ》していたからである。執政たちは佐久間の上書に刺戟《しげき》されて、鹿沢堯伯の藩政への容喙を停止するよう求め、佐久間の上書をもとにして、早急に農政改革案をまとめ上げた。この動きの中で、執政たちが示したまとまりは、かつて例をみなかったほどのものだった。

藩主を批判した佐久間を慎み処分にとどめたのも、執政たちの結束が、主殿頭を押えたといえた。主殿頭は暗君ではない。農政についての指示も、いつまでも足踏みを続ける執政たちの腑甲斐《ふがい》なさに苛立《いらだ》って、みずから乗り出したといった気味があった。それだけの見識は持っているから、佐久間が挙げた十八項目の指摘に道理があることは、理解出来たのである。主殿頭は鹿沢の出仕を止める処置をとった。

だが佐久間に対する怒りは、そういう処置とは別個に、主殿頭の内部で荒れ狂っていた。上書は、主殿頭の自尊心を著しく傷つけるものだった。結果が佐久間の言うようなものであっても、農政立て直しには自分なりに意を用いた、という気持が主殿頭にはある。だが上書は、その点については一顧もせず、冷やかに結果だけを裁断している、と主殿頭には思えた。佐久間に嘲《あざけ》られたと感じた。

それまで唯々《いい》諾々《だくだく》と従い、一言の意見も言わなかった執政たちが、上書が出ると掌《てのひら》をかえしたように鹿沢の献策を非難し、側近政治の弊などと言い出したことも我慢ならないことだった。主殿頭の憎しみは、そういう執政たちへの不満も含めて、佐久間に集中した。

「そういう事情でな。表向きは謹慎という処分だったが、佐久間はお上に憎まれておった。お上が刺客を放ったという噂《うわさ》があったぐらいじゃ」

「まことでございましょうか」

「まさかとは思うがの。ともかく執政たちは、お上がもっと重い処分を命じたのを、謹慎処分に押えておくのが精一杯での。その処分を解くことなど思いもよらなかったようだ。だから逃げないであのままでいても、ご家老や組頭がお上の圧迫に耐え切れなくなって新しい処分を決めるということは、考えられないことでもなかったな」

「………」

「現に、二人が脱藩した当時に、組頭の安藤どのが、これで肩の荷が下りた、と人に洩《も》らしたそうじゃからの」

「さようですか。佐久間さまは、いずれにしろ無事では済まなかったのですか」

新蔵が曇った声で言った。朔之助はそれには答えなかった。道は山裾《やますそ》を蛇行《だこう》しながら、次第に登りになっている。左手には緩やかな山の斜面が続き、樹々《きぎ》が綿を吹いているように若葉をつけはじめている。林の中に日が射しこみ、窪地《くぼち》に残っている雪を照らしているのが見えた。右手には、小さな田が上へ上へと幾層にも積みあげたように続き、その先端は、行手に赤い崖肌《がけはだ》をみせている切通しの下までのびている。

振り返ると、遥《はる》かな下に、一度山の端《は》に隠れた城下町が見えた。日は擂鉢《すりばち》のような盆地を隈《くま》なく照らしていたが、海寄りの地平には依然として靄のように曖昧《あいまい》な空気が澱《よど》んで、春が盛りを迎えようとする気配を示している。

のどかな景色だった。景色が穏やかでのどかであるだけに、今度の旅の異様さが、心を重くしているようだった。佐久間の縁に繋《つな》がる者として、俺にもお上の憎しみがかかっているのかも知れないな、と朔之助は思った。そうとでも考えなければ、いまの立場は納得できない気がした。

――森衛も軽率だ。

はじめてそう思った。佐久間は須田郷の代官を勤めた父親が病死したあと、十九で跡目を継いだ。城下町で浅井道場と並ぶ、不伝流の神部道場の高弟で、性格は直情径行といったところがあった。竹を割ったような気性だったが、それだけに思いつめると押えがきかず、柔軟さを欠くところがあったかも知れない。上役と衝突したとか、五間川の堤防が破れたとき、袴《はかま》のまま濁水に飛びこんで、百姓と一緒に土嚢《どのう》を積んだとかいう噂が時どき聞えて、戌井家では、妹の田鶴の気性を思い合わせて似た者夫婦だと笑ったりしたこともある。

しかしこういうことが起きてみると、思いこむと他を顧みるいとまのない佐久間の性格は、主持《あるじも》ちとしては危険な性分だったようである。今度の上書一件にしても、直接藩公に提出しなくとも、家老に出して執政会議に提出してもらうぐらいの慎重さがあってもよかったのではないか、と朔之助は思った。

だが朔之助はじきにその考えを改めた。そうしないで、いきなり藩公に意見書を出したところが、佐久間らしいところなのだ。恐らく父親の代からの郷村役人として、佐久間には自分の見方に自信があったのだろう。執政会議に出せば、中味が藩主主殿頭の施策を否定したものだけに、そこで潰される懸念《けねん》があったかも知れない。あるいは腹切らされるのを覚悟のうえで、佐久間は藩公への上書を敢行したのかも知れない、と朔之助は思ったのである。

「急ぐ旅ではない。ゆっくり参ろう、新蔵」

朔之助は新蔵に声をかけた。道は切通しの急な坂にかかっていて、新蔵は、はいと答えただけだった。額に汗が光っている。何かを考え続けている表情で、新蔵はうつむいたままだった。

四

「新蔵、眠ったか」

闇の中に声をかけると、新蔵がいいえ、と答えた。宇都宮の町には、日が暮れてから北国から来た参覲《さんきん》の行列がついて、二人が泊まっている宿の下の街路にも、長い間馬のいななきや、重苦しい北国訛《なま》りの話し声、命令する声などが聞こえていたが、漸《ようや》くそれぞれの宿に入ったらしく、いまはざわめきが止《や》んでいる。

「いま、小さい頃のことを考えておった」

と朔之助は言った。

「田鶴はきかん気の子で、兄のわしにもたびたび手むかってきたが、お前と喧嘩《けんか》したのは見たことがなかったの」

「…………」

「あれは考えてみると不思議だった。天神川で、あれが溺《おぼ》れそうになったのを覚えているか」

「はい、覚えております」

あれは俺が九つの時だったと朔之助は思った。家中屋敷が塊っていた白壁町を北に抜けると、広い畑地と、葦《あし》が茂る湿地があって、その間を天神川が流れていた。川幅四間ほどの浅瀬が多い川である。市中を流れる五間川とほぼ平行した形で北に流れ、数里先で合流する。五間川は、実際の川幅は市中でも七、八間はあり、水量もたっぷりしているから、子供たちが川に入って遊ぶなどということは思いもよらないが、天神川には子供たちが集まった。

湿地の葦の間には、夏になると葦切《よしきり》が巣を懸けて卵を生んだし、川は砂洲《さす》が多く、流れも浅いところは子供の踝《くるぶし》までしかない。子供たちは中に入ると空も見えなくなるような葦原の中に踏みこんで、葦切の卵を取ったり、砂洲で砂を掘ったり、大きな子は石垣の間に潜んでいる魚を手取りにしたりする。家中の家々では、子供たちが裏の川へ行くことを禁じていたが、子供たちはこっそり外に忍び出て川に走った。

ある夏の日、朔之助は新蔵と田鶴を連れて川に行った。新蔵は六つ、田鶴はまだ五つの子供だった。二人を川の中洲で遊ばせておいて、朔之助は袴を腿《もも》までからげ、腕まくりして岸の石垣の隙間《すきま》を探った。中に潜んでいる魚は獰猛《どうもう》な動きをし、なかなか子供の手には捕まらない。夢中になっている間に、朔之助は遠くで大筒を打つような音を聞いた。

腰をのばすと、川上の唐紙山のあたりが、雲に覆《おお》われて真暗になっている。大筒のような音は雷が鳴っているのだった。稲妻も見えた。山は麓《ふもと》近くまで雲に覆われ、夜のように暗くなっている。あたりがまぶしく日に照らされているので、異様な光景に見えた。

朔之助は川の中に立ったまま、しばらく様子を見たが、雨はこちらまではやって来ないようだった。川岸の桑の木の中では、さっきと同じように油蟬《あぶらぜみ》が鳴き続け、葦の間では葦切が鳴いている。頭上には青空がひろがっていた。新蔵と田鶴は、中洲で砂を掘って遊んでいる。田鶴が命令し、一歳上の新蔵が従順に田鶴の言うことを聞いている。朔之助はその様子を確かめて、また魚摑《つか》みに戻った。

川水が濁ってきたのに気づいたのは、苦心して鮒《ふな》を一匹捕えた頃だった。水は濁っているだけでなく、明らかに嵩《かさ》を増していた。腓《ふくらはぎ》までしかなかった水が、膝《ひざ》まできている。朔之助はその意味を覚《さと》った。川上で降った雨が、川に流れこんでいるのである。

気がつくと、空模様は一変していた。雲は中空に膨れ上がって日を呑《の》みこもうとしていたし、山は一面に雲に覆われ、その中で稲妻がきらめいていた。そして、すさまじい雷鳴がとどろいた。

「新蔵、田鶴」

朔之助は二人に声をかけ、岸に上がれと言った。新蔵は素直に、中洲から浅い流れを漕《こ》ぎわたって岸に上がったが、田鶴は知らないふりで、まだ砂をいじっている。

「岸へ上がらんか、田鶴」

朔之助がそばに行って言うと、田鶴はちらと朔之助の顔をみたが、小憎らしく小さな尻《しり》を向けてそっぽをむいただけで、立ち上がろうとしなかった。朔之助はいらいらした。その間にも川の水は少しずつ増えて、中洲の乾いた砂を洗いはじめていた。

「水が多くなってきた。お前には見えんか。溺れてしまうぞ」

田鶴は首をねじむけて、ちらと朔之助を見ただけで、城壁のように積み上げた砂を、板切れでぺたぺたと叩《たた》いている。反抗的な眼だった。

朔之助は、後ろから襟《えり》がみを摑んで、田鶴を立たせると、強引に流れを横切ろうとした。田鶴は手足を突っぱって暴れた。

「いやッ」

田鶴は朔之助の腕に爪《つめ》を立てた。思わず朔之助は手を離し、腹が立つままに、田鶴の頬を殴りつけた。すると田鶴は泣きもしないで、眼を光らせて後ずさりした。テコでも中洲を離れない。そう言った反抗的な身構えだった。朔之助は心から腹を立てていた。

「俺は知らんぞ」

朔之助は田鶴に背を向けて、岸に上がった。岸で見ていると、水嵩はどんどん増えてくる。中洲は次第に波に洗われ、川音が高くなっていた。日はついに雲に隠れ、風景が一瞬に灰色に変った。田鶴はさすがに遊ぶのをやめていたが、それでも強情にこちらを向いて立っている。もう少し様子を見よう、と朔之助は思っていた。田鶴の強情さには、日頃手を焼いている。少しはこわい思いをするといいのだ、と思っていた。

そのとき、新蔵が黙って岸から川の中に降りて行った。さっきは膝の下までしかなかった水が、新蔵の腰のあたりに達した。その水の中で、新蔵は頼りなくよろめきながら、一歩ずつ中洲に近づいて行った。

すると、田鶴は不意に泣き声をたてた。泣きながら、田鶴は新蔵に手をさしのべている。

「みっともないぞ、泣くな、田鶴」

朔之助が叱《しか》ったが、田鶴は泣くのをやめなかった。新蔵は田鶴をしっかりとつかまえると、かばうように自分は上手に立って、また川の中に足を踏み入れた。二人は川音に包まれながら中洲と岸の間を渡りはじめた。水勢に押されて二人は少しずつ川下に流され、一度は田鶴が転びそうになって、胸まで水浸《びた》しになった。水は田鶴の腹までであった。岸まで一間というところで、二人は水の中に立ちすくんでしまった。その間にも田鶴は泣き続けている。

朔之助が岸を降りようとしたとき、新蔵にしがみついていた田鶴が、鋭い声で言った。

「お兄さまはいや！」

朔之助は舌打ちした。水に踏みこんで、田鶴を殴りつけたい衝動を、漸く我慢して、朔之助は言った。

「新蔵、もうちょっとだ。がんばってこっちに来い。大きな石を踏まないように気をつけろ。ゆっくり来い」

新蔵は青ざめていたが、またゆっくりと動きはじめた。田鶴の肩をしっかり抱いていた。二人が岸に上がったとき、中洲はほとんど水に隠れようとしていたのである。

「お前を連れてきて、よかったかも知れん。あれはひょっとしたら、お前の言うことならきくかも知れんからな」

「若旦那《わかだんな》さま」

不意にはっきりした新蔵の声が聞こえた。床の上に起き上がって、坐《すわ》り直した気配だった。

「旅の間に、私は一心にそのことを考えてきました」

と新蔵は言った。

「佐久間さまは、ご上意がございますから、尋常に斬《き》り合うのも致し方ないと存じます。私は若旦那さまのご武運をお祈りするしかありません。しかし田鶴さまは、この斬り合いにかかわり合わせたくないと、考えながら参りました」

「それがうまく出来れば、言うことはないのだが……」

「居所を突きとめましたら、田鶴さまが留守になさるときを窺《うかが》ってはいかがでしょうか。私におまかせ願えませんか。佐久間さまと若旦那さまが、斬り合うところを、田鶴さまには見せたくはありません」

新蔵がついてきたのは、こういうことだったのか、と思った。新蔵は、田鶴に思いを寄せていたのかも知れん。不意に眼がさめるようにそう思った。新蔵は二十一で、時どき母の以瀬に縁談をすすめられているのを見ている。だがまだ妻帯する意志はないようだった。それは、二年前田鶴が佐久間に嫁入ったこととかかわりがあるのか。だがそういう推量は不快ではなかった。田鶴のことは、新蔵にまかせておけばいいのかも知れん。昔からそうだったのだ、と朔之助は思った。そう思うと、幾分心が軽くなるのを感じた。

「お前の考えがよさそうだの。寝ようか。明日は早立ちだぞ」

と朔之助は言って、眼をつぶった。

五

村端《はず》れを、幅二間ほどの小川が流れている。岸にかなり大きい柳の木が二、三本あって、僅《わず》かな風が吹きすぎるたびに、若葉が一斉に日にきらめくのが見えた。その家は、柳の木のそばにあった。村から少し離れ、小川の北側にあるのは、その家一軒だけだった。村とその家をつないでいるのは、小川の上に渡された丸太二本の、細い橋である。

新蔵は、村の隅にある小さな祠《ほこら》の陰から、その家を眺めていた。一刻《いっとき》半ほど前、その家から田鶴が出てきて、丸太橋を渡り、村の方に姿を消した。田鶴は村の者と同じように質素な身なりをし、手に風呂敷《ふろしき》包みを下げていた。まだ戻って来ないところをみると、田鶴は多分、ここから一里ほど南にある、新河岸《しんがし》と呼ばれる行徳の船場まで行ったものと思われた。

新河岸は、寛永九年に行徳船が公許になり、日本橋小網《こあみ》町から小名木《おなぎ》川を通って新河岸に達する、水路三里八丁の舟便が開かれると、房総、常陸《ひたち》に旅する者の駅路として、急ににぎやかになった。商いの店がふえ、旅籠《はたご》、茶屋が軒をならべ、とくに正月、五月、九月の三カ月は、成田不動尊に参詣《さんけい》する人々で混雑する。

十日ほど前、新蔵は新河岸の腰掛け茶屋で休んでいる間に、角の肴屋《さかなや》で買物をしている田鶴を見つけた。そして田鶴を跟《つ》けて、そこから一里ほど北にある村に、佐久間夫婦が隠れている家を突きとめたのである。

その家を眺めるのは、今日が三度目だった。三日前にきたときに、ちらりと見かけただけで、今日は佐久間森衛の姿は見えないが、家の中にいることは間違いないと思われた。

――今日は、言わなければならないだろう。

と新蔵は思った。佐久間夫婦を見つけたことを、新蔵はまだ朔之助に知らせていない。言えば、この畑と小川に囲まれた穏やかな土地が、修羅場に一変する。その日の来るのが、新蔵は恐ろしく、おぞましい気がする。そのとき取返しがつかないことが起こるような気もした。その恐れのために、一日のばしに朔之助を欺《あざむ》いてきたが、それにも限りがあることは承知していた。

朔之助は、江戸藩邸の長屋を一戸借りて、じっと待っているが、今朝新蔵を送り出すとき、珍しく棘《とげ》のある言葉をかけた。待っている苛立《いらだ》ちを押えきれなかったようである。

眼の隅に、ちらりと物が動いた。新蔵はあわてて首をすくめた。帰ってきた田鶴は橋を渡るところだった。渡り終ると、田鶴は振り向いてすばやく周囲を見回し、それから急ぎ足に家の方に隠れた。胸に風呂敷包みを抱いているのが見えた。そのまま、あたりはもの憂《う》い晩春の風景に返った。物音もなく、時折柳の木が髪をふり乱すように枝を打ちふり、新葉が日に光るだけである。

——あさってか、しあさって。

と新蔵は思った。田鶴が時どき長い買物に出かけるのは、これで明らかになったわけである。明日は出かけないかもしれなかったが、明後日は出かけるかも知れない。それは新河岸まで、朔之助を連れてきてから、確かめればよい。

——いずれにしろ、田鶴さまには斬り合いは見せられない。

立ち上がって祠を離れながら、新蔵はそう思った。新蔵は、百姓家の裏手の畑道から村の中に入り、やがて村を抜けて新河岸の駅の方にむかう広い道に出た。左右は青物の葉が行儀よく並んでいる畑で、ところどころに雑木林が畑地のひろがりを阻《はば》んでいる。見渡しても、どこにも山の姿が見えないのが、新蔵には奇異に思われ、どことなく頼りない思いに誘われる。雑木林は、目がさめるような若葉に彩《いろど》られていた。

新蔵の脳裏に、橋を渡ってから後を振り向いた田鶴の顔が、残像のように映っている。色白な肌と、眼尻がやや上がった勝気そうな面影はそのままだったが、田鶴は頬のあたりが瘦《や》せたように見えた。眼は鋭く人を警戒するいろを含んでいたようだった。

——あのひとも苦労された。

そう思ったとき、新蔵の胸の中に、ひとつの記憶がどっと走りこんできた。それは日頃、新蔵が自分にむかって、思い出すことを堅く禁じている記憶だった。

田鶴が嫁入る三日前のことだった。新蔵は屋敷の裏にある納屋《なや》で、板の間に蓆《むしろ》を敷き、縄を綯《な》っていた。田鶴の嫁入り道具をくくる縄で、新蔵は藁《わら》で丹念に磨きをかけながら、縄作りに根を詰めていた。そのために、田鶴が入ってきたのに気づかなかった。

気がつくと、田鶴が入口の戸を閉めるところだった。新蔵は振り向いてそれをみると、思わず叱る口調で言った。

「戸を閉めてはいけません」

新蔵はうろたえていた。戌井家では、新蔵を家の者同様に扱った。小さい頃、新蔵はそのことに馴《な》れ、剣術の稽古《けいこ》のとき、上達の早い田鶴に打ちこまれると、木刀を捨てて組みつき田鶴を投げたりした。そういう新蔵を忠左衛門は笑ってみていた。

しかし少しずつ大人の分別が加わってくると、新蔵は自然に自分のいる場所を見つけるようになった。朔之助、田鶴に対しても、田鶴が時どき歯がゆがるほど、態度も物言《ものいい》もいつの間にか慎み深くなった。気持は昔のままだったが、新蔵は二人と自分との間に、越え難い身分の差があることを次第にわきまえ、その垣根を越えることはなくなった。

新蔵がうろたえたのは、とっさにそのことを考えたからに外ならない。嫁入りを控えた娘が、奉公人の男と戸を閉めた部屋に二人だけでいるなどということは、許されることではなかった。

新蔵は田鶴を押しのけて、戸を開けようとした。その手を摑《つか》んで田鶴が言った。

「もう遅いでしょ、新蔵。二人でここに入ってしまったのだから」

新蔵はあっと思った。田鶴は頬にいきいきと血をのぼらせ、声を立てないで笑った。眼が挑みかかるように光っている。その美しさは、新蔵の声を奪った。

「もう少し、二人でいましょ。暗くなるまで」

田鶴は囁《ささや》いた。昔、納屋で田鶴と二人で隠れんぼをしたことを新蔵は思い出していた。鬼がいない二人だけの隠れんぼだった。それでも二人はやって来るかも知れない鬼におびえ、古い長持と羽目板の間の隙間《すきま》に、抱き合って長い間蹲《うずくま》っていた。田鶴の囁きはそのことを思い出させたが、新蔵は首を振った。

「どうして？　私といるのがいや？」

「いいえ」

「新蔵。下を向かないで私を見て」

「はい」

「私がお嫁に行ったら、淋《さび》しくないの？」

「…………」

「淋しいと言って」

「はい。淋しゅうございます」

「ほんと？」

「はい」

そう言ったとき新蔵は、主従の矩《のり》を越えたと思った。眼の前にいるのは、眼がくらむほど慕わしい一人の女だった。

「私も嫁に行きたくないの。でも仕方がない。新蔵の嫁にはなれないのだもの」

「田鶴さま」

「私の身体《からだ》をみたい？」

「いいえ。そんな恐ろしいことは、やめてください」

「見て。お別れだから」

田鶴の顔は、急に青ざめたようだった。きっと口を結んだまま、すばやく帯を解いた。その微《かす》かな音を、新蔵は恐怖とも喜びともわきまえ難いおののきの中で聞いた。納屋の高いところに小窓がひとつあって、そこから日暮れの淡い光がさしこんでいた。その光の中に、田鶴の白く豊かな胸があらわれ、二つのまるい盛り上がりが浮かんだ。

外で田鶴を呼ぶ声がした。台所の用を足している、とき婆《ばあ》さんの声だった。ときの声は納屋の前まで来たが、また遠ざかって行った。新蔵が深い吐息をついたとき、不意に田鶴の手がのびて、新蔵の手を自分の胸に導いた。

――あのひとは、花のようだった。

と新蔵は思った。するとさっき見た、頰のあたりが悴《やつ》れた田鶴が浮かび、田鶴を襲った運命の過酷さに、新蔵は胸が詰るのを感じた。行きあう人もいない長い道を、新蔵は少し涙ぐみながら、うつむいて歩き続けた。

六

斬り合いは長かったが、朔之助はついに佐久間を倒した。佐久間は討手《うって》が朔之助だと知ると、黙々と支度を調え、尋常に勝負した。佐久間は不伝流の秘伝とされる小車という太刀《たち》を使ったが、朔之助はそれを破ったのである。

「それでは、田鶴が帰って来ないうちに、姿を消そう」

佐久間の髻《もとどり》から、証拠の髪の毛を切り取って懐紙にはさむと、朔之助は立ち上がってそう言い、襷《たすき》、鉢巻をはずした。

「森衛をどうする」

「私が中に運びましょう」

「いや、俺も手伝う」

二人が、川べりに顔を横に向けてうつむきに倒れている死骸《しがい》を抱き起こしたとき、新蔵が叫んだ。

「若旦那《わかだんな》さま」

朔之助が顔を挙げると、橋の向うに田鶴が立っているのが見えた。田鶴は訝《いぶか》しそうな眼でこちらを眺めたが、やがて事情を覚《さと》ったようだった。狭い橋を飛ぶように走り抜けると、二人の脇《わき》を擦り抜け、家の中に駆けこんだ。家の中から出てきたとき、田鶴は白刃を握っていた。

「討手は兄上でしたか」

二間ほど距《へだ》てて刀を構えると、田鶴は叫んだ。顔は血の気を失い、眼が吊《つ》りあがって、悽愴《せいそう》な表情になっていた。

「佐久間の妻として、このまま見逃すことは出来ません。立ち合って頂きます」

「ばか者。刀を引っこめろ」

朔之助は怒鳴った。一番恐れていたことがやってきたようだった。そのことに朔之助は腹を立てていた。佐久間との勝負で精根を使い果しているせいもある。

「上意の声を聞いて、森衛は尋常に闘って死んだのだ。女子供が手出しすべきことではない」

「それは卑怯《ひきょう》な言い方です。私がいれば、佐久間を討たせはしませんでした。たとえ兄上であっても」

「強情をはるな。見苦しい女だ。勝負は終ったのがわからんか」

朔之助は少しずつ後じさりし、間合をはずすと背を向けた。その背後に風が起こった。朔之助は辛うじて身体をかわしたが、左腕を浅く斬《き》られていた。

「よさぬか、田鶴」

しりぞきながら、朔之助は叱咤《しった》した。お前さまが、朔之助と田鶴にしたことは間違っておりました、と父を詰《なじ》っていた母の以瀬の声を思い出していた。すでに佐久間は斃《たお》している。田鶴と斬り合う何の理由もなかった。朔之助は田鶴の執拗《しつよう》さに苛立っていた。

だが、田鶴は半ば狂乱しているように見えた。眼を光らせ、気合を発して斬りこんでくる。田鶴の打ちこみは鋭く、朔之助は身をかわして逃げながら、避けそこなって肩先や胸をかすられた。朔之助は小川の岸に追いつめられていた。

「おろか者が!」

朔之助は唸《うな》って、刀を抜いた。その一挙動の間に、すかさず打ち込んできた田鶴の切先に小指を斬られた。朔之助は反撃に移った。田鶴の打ちこみを、びしびし弾《は》ねかえし、道に押し戻した。兄妹相搏《きょうだいあいう》つ異様な光景だった。

「若旦那さま。斬ってはなりませんぞ」

新蔵が叫んだのが聞こえた。切迫した声だった。朔之助が斬りこんだのを避けて、田鶴は身体を入れ替えたが、そのために川岸に押された。

朔之助のすさまじい気合がひびいた。田鶴の刀は巻き上げられて宙に飛び、次の瞬間田鶴は川に落ちていた。

「おろかな女だ。水で頭でも冷やせ」

朔之助はそう言ったが、振り返って新蔵をみると、尖《とが》った声を出した。

「新蔵、それは何の真似《まね》だ」

新蔵は脇差を抜いていた。朔之助に言われて、刀を鞘《さや》に納めたが、まだこわばった顔をしている。

──田鶴を斬ったら、俺に斬ってかかるつもりだったか。

と朔之助は思った。宇都宮の宿屋で、新蔵は田鶴に心を寄せていたことがあったのでないか、と思ったことが心をかすめた。

「田鶴を引き揚げてやれ」

朔之助は新蔵に声をかけた。田鶴は腰まで水に漬かったまま、岸の草に取りつき、顔を伏せてすすり泣いていた。悲痛な泣き声だった。

新蔵がその前に膝《ひざ》を折って何か言うと、やがて田鶴が手をのばして、新蔵の手に縋《すが》った。新蔵の腕が、田鶴の手を引き、胴を巻いて草の上に引き揚げるのを、朔之助は見た。引き揚げられたとき、田鶴はちらと朔之助をみたが、すぐに顔をそむけて新蔵の身体の陰に隠れた。その上に上体を傾けるようにして、新蔵が何か話しかけている。二人の方が本物の兄妹のように見えた。

――二人は、このまま国に帰らない方がいいかも知れんな。

ふと、朔之助はそう思った。家中屋敷の裏の天神川で、田鶴が溺《おぼ》れかかったときのことが、また思い出された。田鶴のことは、やはり新蔵にまかせるしかないのだ、と思った。新蔵、ちょっと来い、と朔之助は呼んだ。

「田鶴のことは、お前にまかせる」

朔之助は、懐《ふとこ》ろから財布を抜き出して渡した。

「俺はひと足先に帰る。お前たちは、ゆっくり後のことを相談しろ。国へ帰るなり、江戸にとどまるなり、どちらでもよいぞ」

お前たちと言った言葉を、少しも不自然に感じなかった。実際朔之助は肩の荷が下りた気がしていた。笠《かさ》をかぶり、田鶴に斬り裂かれた着物の穴を掻《か》き繕ってから、朔之助は歩き出した。身体のあちこちで傷がうずいた。

橋を渡るとき振り返ると、立ち上がった田鶴が新蔵に肩を抱かれて、隠れ家の方に歩いて行くところだった。橋の下で豊かな川水が軽やかな音を立てていた。

闇《やみ》の穴《あな》

一

そろそろちえを呼ばなきゃ、とおなみはさっきから思っていた。

ちえは三つになるひとりっ子だが、近ごろは遊び仲間が決まって、放っておくと暗くなるまで外にいる。いつも一緒にいるのは、はす向かいの栄太の家の姉弟《きょうだい》と、二軒おいた並びの佐五平の家の娘である。

ほかに同じ裏店《うらだな》の子供たちで、顔ぶれは一定しないが、似かよった年ごろの連中が、三、四人加わって、木戸内の井戸に近いところで、地面に蓆《むしろ》など敷いて遊んでいるのだ。子供たちはいそがしげにままごとをしていたり、木戸の外から遊びにきている子供たちと喧嘩《けんか》をはじめて、威丈高《いたけだか》な口調で言いあいをしたり、唱声《うたごえ》をあわせて毬《まり》をついたりしている。

外が明るいうちは、おなみはちえをそのまま遊ばせておいて、表通りに青物を買いに出たりする。ちえは子供たちに立ちまじり、一人前に遊びに加わっていて、母親がそばを通っても眼もくれないときもあり、顔が合っても知らないふりをしたりする。

ついて行くとは言わない。以前は袂《たもと》をにぎってどこまでもついてきてうるさかったので、おなみはそういうちえの変りようを、結構気楽に思っている。

だが、暗くなっても家に帰って来ないのは困る、とおなみはいつも気にしている。それで口やかましく言いきかせるのだが、三つの子供にはあまりにききめがなかった。ちえは遊びに心を奪われて、黙っていればいつまでも外にいる。結局迎えに行くようになる。

おなみがあまり口やかましいので、亭主の喜七は、ときどき「うっちゃっときゃいいじゃないか。子供なんてえものは腹が空けば帰ってくるもんだ。俺が小せえころはそうだった」などと口をはさむ。

「そうはいきませんよ。人に攫《さら》われたりしたらどうするんですか」

喜七がそういうのんきなことを言うと、おなみは腹が立ってそう言いかえすのである。だが本当のことを言えば、おなみは人攫いを恐れているわけではなかった。子供はたいてい木戸の内で遊んでいる。表に出ても、夕方には、いつの間にか家のそばに戻ってきている。いくら薄暗いからといって、木戸内まで入ってきて子供を攫って行く者はいない。そういうことは、子供たちの方が心得ていた。

おなみは、日が沈むとほかの子供たちはさっさと家に帰り、残るのがいつも決まって四人で、その中に娘のちえがいるのが気にいらないのである。むろんほかの三人は、栄太の家の姉弟と佐五平の娘である。

この三人がいつまでも家に帰らないわけはわかっている。栄太の家は夫婦二人が日雇いをしていて、あたりがまっ暗にならないと帰って来ない。それまで二人の子供は外で遊んでいるのである。子供たちがもっと小さい時分からそうだったのだ。

佐五平の家には人がいる。佐五平は四十前後で、いつもむくんだような顔をしている中背の男だが、何をして喰っている人間なのか、裏店の者たちも知らなかった。出かけると三日も四日も家を明けるが、帰ってくるとしばらくは家の中にごろごろしている。

ごろごろしている様子を、裏店の者がのぞいて見たわけではない。だが佐五平は家にいるときはいつも酔っぱらっていた。樽《たる》のように肥満している女房も酔っぱらっている。夫婦で昼のうちに酒盛りをしているのだから、なにもすることがなくごろごろしているにちがいないと、裏店の者は思うわけである。

夫婦のほかに、佐五平の母親だという女がいる。干魚のように痩《や》せて、陰気な顔をうつむけて歩き、裏店の者に会ってもろくに口もきかない老婆《ろうば》である。表に、毎日の細かい買い物に出るのはこの母親で、年寄に似合わないいきびきびした足どりで木戸を出て行く。同じ裏店の弥吉の女房が、表の乾物屋でこの老婆が鰹節を一本すばやく袖に引きこむのを見たという話は、裏店の者をさもありなんと思わせたのであった。老婆が孫である女の子を、孫らしくかまいつけているのを、誰も見たことがない。

月に一、二度、佐五平の家ですさまじい喧嘩がある。殺せとか、殺してくれとかいう女の悲鳴は、女房のものか、母親のものかはわからなかったが、もう馴《な》れっこになっているはずの裏店の者も、その声を聞くと血が凍る思いをするのであった。

そういう家だから、佐五平の娘が遅くまで家に入りたがらないのは無理ないと、おなみは考える。

日が暮れれば子供は家へ帰るのが、まっとうな家だとおなみは考える。佐五平の家はまっとうとは言えない。栄太の家の子供は、不愍《ふびん》だといえば不愍だが、上の姉の方は確か九つである。女の子で九つなら、両親が働いている間、家の中の片づけや、米をとぐぐらいは出来るだろうに、その子は終日外で遊び暮らしているだけだった。暗くなっても、ちえを平気で引きとめておく。利口でないのはかまわないが、どこか横着なそぶりも見える子である。

そういうことが念頭にあるから、おなみは夕方になると、決して自分から帰って来ない子供にいつの間にか気をいらだてている。

喜七は、神田小柳町の大工職平助に雇われている手間取だが、大工の鑑札を持っている。いずれは棟梁《とうりよう》の株を買い、表に店を構えたいというのが夫婦の望みだった。そのためにおなみはつましく暮らし、僅《わず》かずつだが、金を残すように工面している。いつかは出て行く裏店だった。そういう心づもりを、裏店の者には気ぶりも見せたことはないが、佐五平や栄太とは違うと、おなみは心の底で思っている。まだ三つの子供じゃねえか、と喜七は言うが、三つの子供でも、選《よ》りに選ってあの子たちと仲よくなることはないじゃないかと、おなみはいい気持がしないのだ。

そろそろ声をかけなきゃ、と思いながら、おなみは米をとぎ、菜をきざみながら、開けはなしてある台所の小窓から、空のいろを窺《うかが》っている。空には、まだ日の色が少し残っているが、その色が消えると外は急に暗くなる。

そろそろと入口の戸が開いた気配がした。誰かが土間に入ってきた様子だった。

——珍しいこと。ちえが帰ってきたようだ。

あの子たちと喧嘩でもしたかと、おなみは思った。土間に入ったまま、黙っているからである。

「ちえ」

竈《かまど》に火を焚《た》きつけながら、おなみは呼んだ。それでも返事がないので、おなみは立ち上がると土間をのぞいた。どうしたの、と言いかけて、おなみはそのまま息を呑《の》んだ。土間に男が立っている。

「あら」

おなみは呟《つぶや》いた。顔がこわばるのが自分でわかった。男の正体がわかっても、胸の動悸《どうき》はおさまらなかった。薄暗い土間に立って、薄ら笑いをしているのは、別れた亭主の峰吉だった。

二

職人の早飯というが、喜七の飯はあっという間に終ってしまう。

おなみとちえが、まだ喰《た》べているそばに煙草《たばこ》盆を持ち出すと、喜七は煙草を喫《す》いはじめた。喜七は外では飲んで帰ることがあるが、晩酌はいらない男である。そのかわり尻《しり》からヤニが出るほど煙草を喫う。飯のあとに喫い、寝る前に喫い、閨《ねや》のことが終わったあと、ひと仕事終えたふうに一服する。朝目ざめると、床の中から手をのばして煙管《きせる》をひきよせ、朝飯がすむと、また長ながと一服して仕事に出かける。

酒を飲んで酔いつぶれたり、乱暴したりされるよりはいいし、そんなに金がかかるわけでもないから黙っているが、おなみは本当は煙草の匂《にお》いが好きでない。ちえを身《み》籠《ご》もったころ、煙草の匂いを嗅《か》ぐと必ず吐き気がこみあげて、我慢できずに訴えたことがあった。そのときにも喜七は、戸口の外の暗闇《くらやみ》で煙草を喫っていたのである。むろん子供が生まれると、すぐに元に戻ってしまった。

我慢し、我慢することに馴れていたが、それでもおなみは、たまに思わず文句を言うことがある。こっちが喰べ終わらないうちに、早飯喰いの喜七は、もうもうと煙草の煙を立てる。いつもそうだというのではないが、虫の居所が悪い日は、それがひどく癇《かん》にさわる。喰い物の味が落ちるような気がした。

「ああけむい、けむい。けむくて息がつまるよね、ちえ。みんなが喰べ終わるまで待てないのかしらねえ」

などとおなみは、子供にかこつけてつい棘《とげ》のある口ぶりで言ったりする。言われても喜七は意に介したふうもなく、平気な顔でいるが、たまには、そう言われたことを思い出すかして、煙管に煙草をつめたまま、親娘《おやこ》の飯が終わるまで、所在なげに火をつけるのを控えていることもあった。

だが今夜は、そんな心配りも忘れたふうで、喜七は煙草の煙をくゆらせながら、何か考えあぐねた表情をしている。日焼けして、鼻と口が大きい割には眼が細い顔を仰《あお》むけて天井を睨《にら》んだり、うつむいて掌《てのひら》で膝頭《ひざがしら》を撫《な》でたりしている。おなみは箸《はし》を使いながら、ちらちらと夫を見た。

「それで、どうだと言うんだね。峰吉さんは」

顔をあげて喜七が言った。

「どうって……」

おなみは箸と飯椀《めしわん》を膳《ぜん》に置いた。今夜は、はじめから食欲が失われている。

「なにも言わなかったんですよ」

「しかし、なにか用があるから来たんだろ?」

「用ということじゃなかったようですよ。近所まできて、わたしがここに住んでいると聞いたんで、寄ってみたと言ってましたから」

「さしたる、用事はなけれども、か」

喜七は太い煙を吐き出すと、ふといら立たしげに煙草盆を打って灰を落とした。

「そいつはあてにならねえな」

「そうかしら」

そう言ったが、おなみも夫がいうとおり、峰吉の言い分は信用できないと思っていた。峰吉は、なにか用事があってたずねてきたのだ。そしてそれを言わずに帰ったのだ。そういう気がした。

「そうにきまってら。おめえ、考えてもみな」

と言ったが、喜七はふとちえに眼をとめて、おい、よそってやんな、と言った。振りむくとちえが飯椀を突き出している。ちえは無口な子で、おなみは時どきいまのように気がつかないでいることがある。飯をよそってやりながら、おなみはいつものように説教した。

「ちゃんと言いなさいよ、自分で。おまんまちょうだいって、言えるでしょ」

「あの男がいなくなったのは五年前だぜ。五年もの間、音沙汰《おとさた》のなかった男が、ひょっこり近所まで用事できて、ついでにこちとらの居所まで知ったというのは、こりゃどう考えても出来過ぎてら」

喜七が帰ってくると、おなみはすぐに峰吉が来たことを話した。峰吉に、もちろんおなみは上がれとは言わなかったが、本人も別に部屋に上がりたいそぶりも見せず、あっさり帰って行った。だがそれはそれでまた、おなみはなんとなく薄気味が悪く、夫が帰るのを待ちわびたのだった。いずれにしても、峰吉は喜んで迎えるような客ではない。

おなみの話を聞くと、喜七はそうかと言っただけで、すぐに仕事着を着がえ、飯を喰った。だが喜七の口ぶりは、その間ずっとそのことを考えていたことを示している。喜七は大きな身体《からだ》に似つかわしく、のんびりした性格の男である。小さなことには口出しをせず、手も出さない。おなみは、子供を持ってから自分が以前より口やかましい人間になったような気がしているが、それは夫のせいもあると思っていた。亭主がのんびりしている分を、女房が小まめに動いて補わないと、家の中の暮らしは成り立たないのだ。

のん気な男ではあるが、喜七は血のめぐりが悪い男ではない。突然に峰吉がたずねてきたことが納得いかない様子だった。たとえおなみの住んでいる場所がわかったとしても、峰吉は、それで懐《なつか》しげにたずねてくるという立場の男ではないのだ。

別れた亭主といっても、おなみは峰吉ときちんと夫婦別れをしたわけではなかった。所帯を持って一年近くたったある日、峰吉は突然に自分から姿を消したのである。五年前のことだった。

峰吉と一緒に暮らした一年足らずの月日を、いま二十三のおなみは、ぼんやりとしか思い出せない。

峰吉は小間物の行商をしていた男で、おなみが奉公していた両国米沢町の伊豆屋という小間物問屋に、品物を仕入れにきていた。女の髪を飾る簪《かんざし》、櫛《くし》、笄《こうがい》から紅白粉《べにおしろい》、帯留といった品物を売り歩く男にふさわしく、峰吉は細身で粋《いき》ななりをし、女心を惹《ひ》きつけるような話しぶりを身につけていた。品物を仕入れにくると、よく伊豆屋の台所に回って、水仕事をしている女中たちと話しこんで笑わせた。

峰吉の話は行商の間に拾い歩く、いかにもありそうな面白い話で、中には若いおなみが顔を赤らめるような下《しも》がかった話もまじったが、ほかの女中たちはそういう話を喜んで、帰るという峰吉をひきとめたりした。

一緒になろうと峰吉に誘われたとき、おなみは一も二もなく承知した。おなみは峰吉がおとせという十九になる女中ととくに親しい口をきいていたので、台所にきて話しこんで行くのはおとせのためだと思っていたのである。それが自分のためだと言われると、おなみは上気してしまって、断わる口実を思いつけなかったのである。

葛飾《かつしか》の在に住む両親にも内緒で、またおなみに目をかけていた問屋の主人夫婦にも、軽がるしいと怒られたりして、おなみはまるで駆け落ちでもする気持で、峰吉が住む裏店《うらだな》に身を寄せたのであった。

二月《ふたつき》ほどは、鳥が巣に籠《こも》るようにして暮らした。一緒に暮らしてみると、峰吉は店にいるとき考えたほど話の面白い人間ではなかったが、金には不自由させなかったし、優しかった。怠け者でもなかった。

そして二月ほどたったある夜、峰吉は断わりもなしに家を空けた。それが最初で、峰吉はその後も時どき家を空けた。二晩続けて帰って来ない時もあった。そしてそのころから、いさという男がたずねてくるようになった。いさの顔を、おなみは見たことがない。

いつも、裏店がそろそろ寝静まるころやってきて、ひっそりと戸を叩《たた》き「いさだ」と声をかける。おなみが聞くのは低く短いそのひと言だけである。若くはなく、年輩の男の声のように思われた。

その声を聞くと、峰吉は一瞬顔色を変えておなみを見る。それから眼が据わったような顔のまま、部屋の中の物につまずいたり、ひどくあわてた様子で外に出て行った。外の暗がりで、二人は長い間ひそひそと立ち話をしている。そういうときおなみは、胸を固くして二人の気配に耳を澄ましていたが、なにを話しているかはひと言も聞きとれなかった。いさはいつも峰吉を外へ呼び出し、どんな寒い夜も家の中に入ってくることはなかった。

いさは無気味な男に思われた。低い声と、決して顔を見せようとしないその男から、男が棲《す》んでいる場所の暗さが伝わってくる気がした。おなみは、いさが戸を叩く音を聞くと、それだけではっと胸をとどろかすようになった。いさが持ちこんでくる用件が、たちのいいものであるはずはなかった。それは峰吉のおびえたようなそぶりを見ればわかる。そしてその証拠に、いさが来たあと、峰吉は必ず家を空けた。だがおなみは初めのうちはともかく、後にはそのことに全く口出ししなかった。峰吉が得体の知れない男とつき合い、おなみが覗《のぞ》き見たこともない世界に出入りしていることは確かだと思われたが、峰吉にそのことを確かめるのが恐《こわ》かったのである。そこには犯罪の匂いがした。その世界のことに触れてならないことを、おなみは半ば本能的に理解していたようである。

「いささんてお友だちなんでしょ？　お友だちだったら、家に入ってもらったら」

一度だけおなみは思い切ってそう探りを入れたことがある。だが、はたして言い終わらないうちに、したたかに顔を殴られた。

「その名前を口にするな。二度と口にしたら承知しねえ。いいか」

と峰吉が言った。峰吉はひどく青ざめた顔をしていた。峰吉に殴られたのは、そのときただ一度だけである。

三月のある晴れた日。峰吉はいつものように、昨日仕入れてきた小間物の荷をかいがいしく背負って家を出た。行ってくるぜ、と言い、機嫌がいい顔で、足どりもきびきびしていた。そしてそのまま帰らなかったのである。

一年ほど、おなみはその裏店の家で峰吉を待った。待つというより、茫然《ぼうぜん》とあれこれを考えている間に日が経《た》ったようだった。少しばかり金が残っていたので、はじめはその金で暮らせたが、後では着物を売ったり、裏店の者が世話してくれた内職をしたり、通いの女中奉公に出たりした。その間に大家に口をきいてもらって、豊次という岡っ引をたずね、峰吉を探してもらったが、見つからなかった。

「女だな。あんたに心あたりはねえのかい」

頼みに行ったとき、中年の岡っ引はそう言って好色そうな眼でおなみをじろじろ見たが、おなみは違うと思った。峰吉はたびたび家を空けたが、不思議に女の気配は感じられなかったのだ。いさだとおなみは思っていた。だがおなみは岡っ引にその名前を言わなかった。その名前を口にするのが、恐ろしかったのである。

峰吉が姿を消して一年以上過ぎたころ、おなみは世話する者がいて、喜七と一緒になった。峰吉のことは、はじめて会ったとき、喜七に全部話している。妙な話ですなあ、と言って喜七は首をかしげたが、しかし世の中にない話でもありませんな、と言って、あまり気にかけた様子はなかった。そのときも、おなみはいさという男のことだけは打ち明けそびれている。

喜七とは、形ばかりだったが祝言《しゅうげん》をあげた。葛飾から親たちも祝言の席に出てきて、そのときおなみは、峰吉と暮らした月日を、ひどく奇怪なもののように思い返したのだった。喜七と暮らし、子供が生まれると、おなみは峰吉のことを忘れた。むろんいさという男のことなど、思い出すこともなくなっていた。すべて遠い昔のことだと思っていたのである。

むろん峰吉がたずねてくるなどということを、考えたこともなかった。喜七の言葉で、おなみは土間に立っている峰吉を見たときの驚きが、また胸に戻ってくるのを感じた。

「出来過ぎているって、あんた」

おなみは息を呑《の》む顔になって言った。

「じゃ、あたしを探してきたというんですか」

「まあ、そうだろうな」

「どうして？」

「どうしてか、俺にわかるわけはねえ。だから、なにか言ったかと聞いているんだ」

「…………」

おなみは首を振った。峰吉は、元気でいてよかったとか、子供は何人かとか、亭主は大工だそうだが、棟梁《とうりよう》か、などということを聞いただけである。昔のことにも触れず、おなみが聞かなかったからかも知れないが、自分のことは何も言わなかった。

峰吉は少し元気がないようにも見えたが、様子は五年前とあまり変らなかった。細面の白い顔をしていた。竪縞《たてじま》の袷《あわせ》を着ていて、あまりいいものではなかったようだが、それはおなみがそういう眼で見たからかも知れない。

「また来るかしら」

とおなみは言った。今度は喜七が黙った。喜七は黙って煙草《たばこ》をつめ、行燈《あんどん》から火を移して、まずそうに一服した。それから考え考え言った。

「来るかも知れねえな。来たら、なにか用かってそれとなく聞いてみな。それでもなにも言わねえようだったら、俺が一ぺん会ってみよう」

喜七の言葉が、なんとなく重苦しく澱《よど》んだその夜の空気に、一応の決まりをつけた。煙管《きせる》を煙草盆の上に投げ出すと、喜七は突然両腕をさしあげて欠伸《あくび》をした。

「あらあら」

ちえを振りむいたおなみが、大きな声をあげた。

「だめじゃないの。こんなにこぼしちゃって、まあ」

三

「お茶をお出ししな」

　と喜七に言われて、おなみは台所に入ると、火を焚《た》きつけて湯をわかした。いつもなら竈《かまど》には釜《かま》をかけて飯を炊《た》きはじめている時刻である。だが、今日は米もといでなかった。峰吉が来て、そこに夫が帰ってきて、手順がすっかり狂っている。それにちえは昼飯を喰って外に出たまま、一度も家に帰って来ない。おなみはしゃがんで火のいろを眺めながら、いらいらした。

「お噂《うわさ》はかねがね……」

　という喜七の声が聞こえる。なにを言ってるんだね、とおなみは思わず舌打ちする気分だった。

　喜七が言ったように、峰吉ははたしてその後もやってきた。二度、三度ときた。例のところに用事で来たから寄ってみた、と馴《な》れ馴《な》れしく言い、短い世間話をして帰る。なんのために来るのかは、依然としてわからなかった。

　むろんおなみは、話している間にそれとなく探りを入れてみる。どういう魂胆があって人の家をのぞきにくるのか、そこがわからないほど気味が悪いことはない。しかしぶっつけには訊《き》けないから、言い方はどうしても遠回しになる。峰吉はおなみの言い方に気づかないのか、それとも気づいていてはぐらかしているのか、肝心の聞きたいことには、ひとつも答えていない。薄笑いしてごまかす。おなみは、峰吉が用事でくる例のところがどこなのかさえ訊き出すことが出来なかった。

峰吉が帰ると、おなみはいつもひどく疲れている。相手を探る気持のほかに、弱味を見せて上にあがられたりしてはいけないという緊張がある。そう喜七に訴えると、喜七は威勢よく言った。

「ふざけた野郎だ。よし、俺が会って白状させてやら」

だがいま茶の間から聞こえてくるのは、喜七の高笑いだけだった。峰吉の声はほとんど聞こえない。

お茶を入れて、おなみが茶の間に入って行くと、男二人は笑顔でおなみを見た。

「峰吉さんは、いま浅草の方で小間物を売って歩いているそうだ。聖天町《しょうでん》に一人暮らしの色婆ァがいてな……」

おなみは不機嫌な顔で、男二人に茶をすすめた。勘に過ぎないが、峰吉はいま働いていないようにおなみは感じている。商《あきな》いにつきものの勇みが、峰吉から欠け落ちていた。夫はていのいいほら話を聞かされて喜んでいるのだ。それに、大体こんなににこやかに話しあう場合ではあるまいに、とおなみは顔が固くなる。

おなみの不機嫌な様子をみて、喜七もさすがに話を変えた。

「この辺にちょいちょい用があるようですな」

喜七は上眼づかいに峰吉を見た。

「なんですか？　それはとくい先といった家ですか」

「はい。とくい先です」

峰吉はにこにこして言った。

「結構ですな」

喜七は咳払《せきばら》いした。

「こうしょっちゅう来るところをみると、よっぽどいいおとくいのようですな」

「はい。大事なおとくいです」

「どのあたりですか？　横網町ですか」

「はい。横網町です」

これじゃ埒《らち》があかないわ、とおなみは思った。これは問い詰めるといったものではない。おなみは立ち上がって茶の間を出た。ちえを迎えにいかなければならない。

土間に降りたとき、はたして喜七が話を変えてこういうのが聞こえた。

「あんたのように、町を歩く商売だと、花見なども勝手に出来ていいものでしょうな。どうです？　向嶋《むこうじま》のあたりはもうにぎやかですかな」

外は、足もとがおぼつかないほど薄暗くなっていた。ちえはすぐに見つかった。やはり井戸の近くに敷いた蓆《むしろ》の上に、定連という形でほかの三人と頭をあつめていて、ままごとかなにかをやっている。

不意におなみは、胸に怒りが衝《つ》きあげてくるのを感じた。怒りは、こんなに薄暗くなっても平気で遊んでいる子供たちと、いまいましくて灯も入れないで来た薄暗い部屋で、くだらない世間話をしているに違いない男たちと、両方にむけられている。

「ちえ」

おなみは荒々しく子供の腕をつかんで、蓆の上に立たせた。

「いくら言ってもわからないね、お前は。暗くなったら家《うち》へ帰って来なさい。言うことを聞かないと、家へ入れないよ」

おなみの剣幕が凄《すご》いので、ほかの三人も立ち上がって、ぽかんとおなみの顔を見ている。しくしく泣き出した子供の手をひいて、おなみが家へ戻るとちょうど峰吉が中から出て来たところだった。

「や、どうも。おじゃまさま」

峰吉は薄笑いを浮かべてそう言ったが、おなみは返事をしなかった。顔をそむけて家の中に入った。

すると台所に喜七が立っていて、おそろしく不機嫌な声を出した。

「飯はどうした、飯は」

「飯、飯って言わないでくださいよ。喰わせないでおくわけじゃあるまいし」

おなみはかっとなって言い返した。

「こんなふうだから、台所をするひまもないじゃありませんか」

喜七は荒あらしい足音を立てて台所を出て行った。ちえがおびえて、泣き声を立てた。うるさいね、あっちへ行ってな、とおなみは明るくなった茶の間に子供を追い払った。

「それで、どうだったんですか。あのひと、何か言いました?」

「言うもんか。あいつはひと筋縄じゃいかねえ男だ」

結局収穫はなかったのだ、とおなみは思った。喜七は、峰吉が帰ったあとで、そのことに気づいて相手にも自分にも腹を立てているに違いなかった。だがあたりまえだ。あんな生ぬるい話の進めようで、あの男が本音を吐くわけはない。

「あたりまえですよ。あんな訊き方じゃ、子供だって本当のことを言いませんよ」

「じゃ、なにか。俺の嬶《かかあ》に未練があって来るのか、とでも言えばよかったかね」

「そう思ってんなら、そう言ってやればよかったじゃありませんか」

「ばか言え。かりにも三十面《づら》ぶらさげた男が、そんながきみてえな口をきけるかい」

おお、よし。泣くことはねえ。どれほっぺを拭《ふ》いてやろう。汚ねえ面だな。お前なにやって遊んでたんだい。

「しかし、妙な男だな」

と、これは台所のおなみに言ったのだった。

「にこにこと愛想がよくて、えらく下手に出てよ。あいつにすりゃ、べつに悪気はねえのかも知れねえな。俺たちの考え過ぎってことだってある」

「冗談じゃありませんよ」

とおなみは言った。

「用もないのに、亭主の留守に家をのぞきにくる男が、どうして悪気がないんですか。あんた、大体あの男になめられてるんですよ」

「うるせえ」

と喜七が怒鳴った。一たん泣きやんだ子供が、はでに泣き出した。

「そんなに言うんなら、自分で訊いてみろ。一体なんのご用でございましょう、とな。もとはといえば、おめえが蒔《ま》いた種じゃねえか」

四

「お、暗くなってきたな。つい話しこんじまった」

「なにか、用があったんじゃありませんか？」

「用？」

峰吉は立ち上がった姿勢のまま、おなみの胸もとのあたりをじっと見おろした。おなみは無意識に手をあげて、衿《えり》をかき合わせた。息苦しいものが、仄暗《ほのぐら》い土間を占めたようだった。おなみは息をつめたが、すぐに薄笑いをうかべて峰吉が言った。

「いや、べつに用なんざ、ないんだ。そこまで来たから、ちょっと寄っただけでね。じゃ、ごめんよ」

——もうひと押しだったのに。

板の間にがっくり坐《すわ》りこみながら、おなみはそう思った。用がなければ、もう来ないでください、と言えばいいのだ。そのひと言が言い辛《づら》いのは、たずねてくる相手の意図がわからないのと、もうひとつは、奇妙なことだが、亭主の留守に逃げ出してきて、ほかの男と一緒になっているのを見つかったような、引けめな思いが心の底にあるからだった。実際には、逃げ出したのは峰吉で、おなみではない。だが、ほぼ一年という月日は、待ったというのに十分な月日だったか、どうか。

そういう考えは、むろん峰吉がたずねてくるようになってから、おなみの心に芽ばえたのである。峰吉は、そのあたりに含むところがあってたずねて来るのかも知れないという気がした。おなみは、なるべくならそのへんのことに触れたくない。穏便に引き取ってもらいたいのだ。そういう下心が、最後におなみを弱気にしてしまう。

——でも、こんなことは続けていられない。

おなみは、ついさっきまでそこに腰かけていた峰吉の、低く優しい話し声と、それが癖になっているらしい薄笑いを思い出し、ぞっとした。そこにいたのは、赤の他人だった。嫌悪感《けんおかん》しか感じなかった。

あの男が姿を現わしてから、家の中がめちゃめちゃになった、と思った。喜七は、自分ではなにも出来なかったくせに、そのあとも峰吉がたずねて来ているのを知ると、なにを話したか、上にあがりはしなかったか、としつこく問いただした。おなみが興ざめするほど細かいことを聞き、しまいには、曰《いわ》くのある女なんぞ、女房にするんじゃなかった、とまで言った。明らかにおなみを疑っている口ぶりだった。それで、三日前も大喧嘩《おおげんか》している。

それなのに、峰吉は今日も来たのだ。夫婦喧嘩ぐらいで済めばいい。いまにもっと悪いことが起こる。おなみはそう思い、あわててその忌《い》まわしい考えを打ち消した。とりあえず、今日峰吉が来たことを、夫には黙っていよう。

「おばさん」

不意に呼ばれた。入口から栄太の娘がのぞきこんでいる。娘の脇《わき》の下から、真黒な顔をした男の子も、こちらを見ていた。

「どうしたね、みさちゃん」

おなみはもの憂《う》く言った。そうだ、ちえを呼ばなきゃならない。すっかり忘れていた、と思った。子供たちのうしろに、白っぽい夕暮のいろが漂いはじめている。その白さが、暗く変るのは早いのだ。

「ちえが、男のひとに連れて行かれたよ」

と、みさが言った。

「え?」

どこに? と思ったとき、おなみは土間に降りて、下駄《げた》をつっかけていた。

「男のひとって、さっき家から出て行ったひとだね」

「そう」

「ありがとう、みさちゃん」

おなみは、日ごろうっとうしい思いで眺めている栄太の娘から、一瞬光が射《さ》したように感じた。外に出ると、おなみはあたりが思ったより薄暗いのに、もう一度胸を衝かれた。下駄を鳴らして木戸を走り出ると、おなみは表通りに出た。

通りの左手は武家屋敷がならび、突きあたりに遠く御竹蔵の塀《へい》が見える。塀下の辻《つじ》番所《ばんしょ》は、もう高張提灯《たかはりぢょうちん》に灯を入れていた。おなみは右に走った。右手は横網町の先が小泉町の町並みで、その先は御台所町の往還に突きあたる。

町にはまだ人通りがあり、子供たちが遊んでいた。おなみは子供たちの顔をのぞきながら町を走った。

――こういうことだったのだ。

と思った。男が本性を現わしたのだ、とおなみは思った。喉《のど》が乾き、胸が恐ろしいほど高く動悸《どうき》を打っている。うつろな眼を左右に走らせて、小走りに町を行くおなみを、擦れ違う人が振りむいたが、おなみは眼に入らなかった。子供連れで歩いている者はいたが、どれも女親の子連れのようで、男が子供の手をひいている姿は見当らなかった。

御台所町の広い通りに出ると、おなみは両国橋がある方に走ったが、駒止橋に曲がる角で立ちどまった。息が切れて、いまにも倒れそうな気がした。立ち止まったおなみの前を、絶えまなく人が通り過ぎる。その人混みと濃さを増した薄闇《うすやみ》が、おなみをおびえさせた。

――ひとりではどうしようもない。

そろそろ喜七が戻るころである。一たん家に戻って、夫にも探してもらおうと思った。絶望的な思いが、おなみの胸にひろがった。戻りながら、おなみの足はひとりでに小走りになったが、足は空を踏んでいるように力を失い、おなみは何度か小石につまずいて、前にのめった。

――ちえ。

おなみは涙が溢《あふ》れてきた眼を、左右に配って、小走りに小泉町の角を曲がった。横の道から、手をつないだ峰吉とちえが出てきたのは、おなみが小泉町を通り過ぎようとしたときだった。二人は小泉町と横網町の間から出てきたのである。

「ちえ、どこに行ってたの？　この馬鹿《ばか》」

おなみは二人に走り寄ると、激しい勢いで峰吉からちえをもぎとって抱きしめた。

「もう、こんなことはやめてください。これ以上、あたしをいじめないでください」

「おじちゃんに、飴《あめ》買ってもらった」

とちえが言った。うるさいね、お前は黙ってなさい、と言ってちえの頭をひとつ張ると、おなみは峰吉に胸を突きつけるようにして言った。

「はっきり言ってください。用があるんならはっきり言って」

言いながら、おなみは涙をこぼした。しもたや風の町家の塀ぎわに立っている三人を、通り過ぎる人が時どき振りむいた。当惑したように、峰吉が言った。

「いじめるって、どういうことだい。子供に飴買ってやったのが気にさわったかね」

「とぼけないで」

おなみは鋭く言った。

「そんなこと言ってるんじゃないわ。あんた、なにか魂胆があって家へ来るんでしょ？　だから、何のために来るのか、聞かせて頂戴《ちょうだい》って言ってるのよ。蛇《へび》の生殺しのようなやり方をしないで」

「魂胆はひどいや」

峰吉は薄笑いした。

「そりゃ、用があるって言えばあるんだが、それを頼んだもんかどうかと、迷ってるところでね」

「それを聞かせて」

おなみは救われたように言った。

「あたしに出来ることなら何でもします。だから、二度と子供を連れ出すようなことをしないで」

五

やたらに曲がり角の多い町で、おなみは何度か途中で迷って、人にたずねながら、漸《ようや》くその家にたどりついた。鎌倉横町にある裏店《うらだな》の中の一軒だったが、なるほど表に峰吉が言ったように、「直し」と看板を下げて、その下に、かんざし、こうがい、いろいろと書いた紙が貼《は》ってある。

一緒に連れてきたちえを、途中からおぶったので、おなみはすっかりくたびれていた。ちえは眠ってしまって、蛸《たこ》でも背負っているように柔らかくなり、ともすると背中からずり落ちそうになる。それを押し上げ押し上げしてきたので、よけいに疲れたようだった。

ごめんください、と言って、おなみは戸を開けた。踏みこんだところが土間で、左手が仕事場になっていた。横網町の裏店ならそこが台所だが、この家の台所は奥にあるようだった。

仕事場に、一人の年寄がいて、おなみを見た。髪も白く、髭《ひげ》も白い老人だった。それも峰吉が言ったとおりだった。おなみはほっとした。

おなみは土間にしゃがむと、板の間にちえをおろした。ちえは口を開けて眠りこけている。おなみは持っていた風呂敷《ふろしき》包みをとき、中から細長く巻いた一尺ほどの紙包みを出して、年寄の前に置いた。

「三日目の晩までに直してください」

おなみは峰吉に言われたとおりの口上を言った。するとそれまで小さい金槌《かなづち》で、古い簪《かんざし》の飾りを叩《たた》いていた年寄が、はじめて顔をあげておなみを見た。そのときになって気づいたが老人の片眼は白く濁っていた。金槌を置いて、老人は一眼でまじまじとおなみを見つめた。

「三日目の晩までだな」

しばらくして年寄はぽつりと言った。はい、とおなみが答えると、年寄はおぼつかない手つきで紙包みを取りあげ、仕事台の下にしまった。おなみはほっとした。峰吉に頼まれたことがそれで終わったのであった。少しあっけない気がした。すると、急に喉が乾いてきた。

「済みませんが、お水を頂けますか」

とおなみは言った。年寄はもう仕事に戻っていて、顔を伏せたまま、手で奥の方を示した。

おなみが考えたとおり、台所は奥にあって、大きな甕《かめ》になみなみと水が入っていた。おなみは柄杓《ひしやく》でひと息に水を飲んだ。生き返ったような気がした。年寄のほかに、家の中に人の気配はなかったが、台所はきれいに拭《ふ》き掃除が行きとどいていて、水もたっぷり汲《く》んであるところをみると、誰か手伝う人間がいるものらしかった。

おなみは土間に戻ると、ちえを起こし、手を引いて外に出た。おなみの挨拶《あいさつ》に、老人は低く唸《うな》っただけだった。

横網町の裏店よりは、よほど貧しく見えるその路地には人影がなく、家々はひっそりと静まり返っていた。四月の終わりの、静かな日射しが、傾いた軒を照らしていた。

表通りに出ると、おなみはもう一度ほっとした気がした。峰吉の頼みというのは、こんな簡単なことだったのか、と思った。何もきかずに、言われたとおりのことをする、というのが条件だった。月に一度、おなみがいま出てきた家に峰吉に頼まれた物をとどける。そうしてくれれば、むろんそのほかのときに横網町の裏店をたずねることもしないし、少しばかりはお礼もする、と峰吉は言ったのである。お礼などどうでもよかった。峰吉が、なんでたずねてきていたかわかっただけで、おなみは気持が晴ればれしていた。そのぐらいの頼みは聞いてやってもよい。それも秋ごろまで、と峰吉は言っていた。

喜七にそのことを話すと、喜七も思わず笑い出したほどである。すべては思い過しだったのだ。その頼みというのを、早く言わなかった峰吉が悪い。峰吉の頼みには奇妙で気になるところがなくもないが、出来ないようなことを頼まれたわけではない。何よりも、峰吉が何のために来ていたかがわかって、夫婦はほっとしたのであった。

また道に迷うといけないと思い、帰りは筋違御門《すじかいごもん》に出た。そこから神田川沿いに、ゆっくり東に歩いた。人影は疎《まば》らで、道を時どき風が吹き過ぎた。すると土堤の草むらと、柳の新葉が一せいに風にひるがえり、まぶしいほど日を弾《はじ》いた。

誰かに見られているような気がしたのは、籾蔵《もみぐら》の建物をはずれて、左手に和泉《いずみ》橋の袂《たもと》が見えるあたりまで来たときである。おなみは立ち止って振りむいた。後に、二、三人の人影が見えたが、誰もおなみを見ている者はいなかった。若い男が一人、おなみが振りむいたとき、右手の獣物店《けだものだな》の通りに折れて行っただけである。

——気のせいだろ。

とおなみは思った。

「両国へ行ったら、お団子《だんご》買ってやろうか、ちえ」

とおなみは言った。ひさしぶりにあたりまえの日々が戻ってきたという気がした。

二人が家へ戻ると間もなく、喜七が帰ってきた。着がえて、煙草《たばこ》盆を持ち出すと、喜七はもうもうと煙を吹きあげながら、台所のおなみに声をかけた。

「どうだったい。届け物ってえのは」

「どうということもなかったけど」

おなみは菜を刻む音を立てながら、大きな声で答えた。少し浮き浮きした気分になっていた。峰吉の頼みごとは、確かに風変りな感じがしたが、結局なんということはなかったし、たまに遠出をした気分は悪いものではなかったのである。

「お爺《じい》さんがいて、品物を受け取っただけよ。ろくにものも喋《しゃべ》らないで、変なお爺さん」

「何を届けたんだい」

「なんだか知らないけど、紙に包んだ細長い物だった。中味は知らない。聞かない約束だから」

「ふーむ」

煙草盆に、煙管《きせる》を打ちつける音がした。

「しかし妙な話だな。峰吉はどうしてお前にそんなことを頼んだのかな。自分で届けるのはまずいのか」

「なにか、わけがあるんでしょ。でもいいじゃないの。断わってまたごたごたするよりいいでしょ？　喰えない人だってことは、あんたもわかったでしょうに」

「それはそうだ。ただ面倒なことにならなきゃいいと思うだけだ」

「面倒？　べつにそんなこともないでしょ。それに秋になれば、もういいんだって言うし。とにかく、引き受けたからあのひと、もう来なくなったんだし、ほっとしたじゃないの」

六

暑い日射しだった。おなみは、何度も途中の木陰や、町家の庇《ひさし》にかくれて休んだが、鎌倉横町のいつもの裏店まで来たときにはぐったり疲れていた。

――昨日だったら涼しかったのに。

途中で、何度もおなみはそう思った。峰吉に言われた届ける日は昨日で、昨日なら一日曇っていて涼しかったのだ。だが昨日はちえが朝から熱が出て大騒ぎし、届け物どころでなかったのである。

ちえはまだ寝ている。だが難しい病気ではなく夏風邪だったらしく、今朝起きたときはまだ熱があるものの元気で、お粥《かゆ》を食べた。それで心配が去ったわけではなかったが、届け物のことも気がかりで、おなみは隣の幸作の女房にあとを頼んで出かけてきたのである。幸作の女房は口数が少ない女で、ふだんあまり近しくしている仲ではないが、おなみの頼みを聞くと快く引き受けてくれた。

――おや。

直しの老人の家の前にきて、おなみは棒立ちになった。戸が閉まっている。

おなみはあわただしく板戸を叩いたが、返事はなかった。念のために力を入れて戸を引いてみたが、開かなかった。留守なのだ、と思った。直しの看板がひっそり下っている。

「もし、もし」

おなみは戸を見つめながら、歯で下唇を嚙《か》んだ。届け物をどうしよう、と思ったのである。当惑が、おなみを満たした。あの手が顫《ふる》えるような年寄が、外に出かけて家を留守にするとは思いもしなかったのだが、考えてみればないことではない。

うしろで人声がしたようで、おなみは振りむいたが、思わず声をあげそうになった。前の家の入口に人が蹲《うずくま》っている。それがすさまじい襤褸《ぼろ》を着た老婆《ろうば》だった。白髪が乱れて、肩までかかっている。老婆はにこにこ笑いながら、おなみを見ている。恰好《かっこう》のすさまじさにくらべて、笑顔は子供のように邪気のないものに見えた。

その笑いに惹《ひ》きつけられるように、おなみは近寄って声をかけた。

「あの、向かいのお爺さん、留守なんですか？」

「今日はいないね」

老婆は意外に歯切れがいい口調で答えた。

「昨日はいたけどね」

「すぐ帰ってくるでしょうか？」

「今日かい？　今日は帰って来ないね。待っても無駄だね」

老婆がものを言うと、長い、しゃくれた顎《あご》がよく動いた。お辞儀をして、おなみは歩き出した。うしろから、老婆の声が聞こえた。

「明日も駄目だね。帰って来ないよ」

木戸まで行って、おなみは路地を振り返ってみた。人気《ひとけ》のない路地だった。傾いた軒の連なりを、七月の光が照らしているだけである。さっきの老婆が、蹲ったままじっとこちらを見ている。子供の姿も見えず、赤児《あかご》の声もしなかった。

おなみは何となく総毛立つような気がして、足を早めて木戸を離れた。表通りに出て人混みにまぎれると、おなみはほっとした。

だが歩いているうちに、次第に気持が塞《ふさ》いで来た。峰吉に頼まれたものを、どうしようと考えたのである。峰吉は月に一度届け物を頼みに来る。子供に喰わしてくんな、と煎餅《せんべい》の包みを持ってきたこともあった。相変らずおなみの気にいらない薄笑いを浮かべて、おめえも滅法きれいになったもんだ、などと言う。峰吉にそう言われても、おなみは鳥肌が立つだけだが、なるほど夫が気を揉《も》むのも無理ないと考えたりするのだ。決して身の回りに近づけたい男ではなかった。

昔一緒に暮らした男だという気がしなかった。あのころもわからないところの多い男だったが、いまは正体不明だという気がしている。頼みをきいてやっているのは、変にまつわりつかれるよりはいい、と思うからに過ぎない。それも、あと一、二回の辛抱だったのだ。うまく届けられなかったために、悪いことが起きなければいい、とおなみは思った。

大事なものには違いないのだ。峰吉は確かにその頼みごとだけで来るに違いなく、来てもそんなに長居はせず、おなみに対していやらしいそぶりを見せるわけでもない。帰りには笑いをひっこめて、必ずこう念を押すのだ。

「それじゃ頼んだぜ。大事なものだからな」

そういう時の峰吉の眼は、妙に底光りして、おなみは気圧《けお》されるような気がするのである。その大事なものは、まだ誰にも渡されずに、おなみの手の中にあった。いやに軽く細長い紙包みだった。

暑い日だった。照りつける日射《ひざ》しの下に、町も、道を通る人も白っぽく見え、おなみは時どき眼がくらむ感じに襲われて、あわてて物陰に走りこんで休んだりした。

――一体、中味は何なんだろ？

ふとそう思ったのは、両国の広小路まできて、見せ物の小屋掛けの陰に涼み、流れる汗を拭いているときだった。大事なものだとだけ言われて届けているその物に、おなみはいままで関心を持ったことがなかった。鎌倉横町の、どことなく陰気な感じがする裏店にそれを届け、直しの年寄が、顫える手でそれをしまいこむのを見てほっとしただけである。

だが一たんそう思うと、おなみは強い好奇心にとらえられていた。ほんとに大事なものだったら、あの婆さんはそう言ったが、明日も出かけて届けなければならないだろう。だが確かめてみて、もし大した物でなかったら、この暑い中を汗水たらしてまた行くことはないのだ。あさってでも、もっと後になってからでもいい。峰吉には黙っていればいいことだ。

——確かめなきゃ。

両国橋の上まで来たとき、おなみは立ち止り、左右に人影を確かめてから、風呂敷の中の紙包みを取り出した。奉書紙で、くるくると巻いた、一尺ほどの長さの品物である。確かめなきゃ、と呟《つぶや》いたが、心の中にあるのはやはり強い好奇心だった。糊《のり》づけしてある包みの端を、おなみはそっとはがした。筒のように固く巻いてある紙をくるくるとはがすと、中にまた紙包みがあって、端が糊づけされていた。おなみはそれもはがしてみた。また細長い紙包みが出てきた。どこまでいっても出て来るのは紙だけで、最後には紙包みは子供の指のように小さくなったが、それもひろげてみると、ただの白い紙だった。

なにか字でも書いてないかと、おなみはためつすがめつ紙を調べてみたが、どうみてもただの紙だった。

ひと握りの紙の束を摑《つか》んで、おなみは茫然《ぼうぜん》と川を見おろした。真青な空を映した水がひろがっている。小舟が一艘《そう》、大川橋の方からゆっくり漕《こ》ぎくだって来る。おなみは白昼夢を見ているような気がした。

つぎに浮かんできたのは、峰吉にだまされているに違いないという考えだった。大事なものだぜ、ともっともらしい声で言いながら、峰吉はこんな子供の使いのようなことをさせていたのだ。この品物が大事なわけはなく、峰吉には別に魂胆があるのだ。

——そんなことまで、あたしが知るもんか。

不意に憤怒《ふんぬ》に駆られて、おなみはそう思った。大事な品物だというから、この暑い日に照らされて、あんな遠くまで歩いて行ってきたのだ。それも家の中に病気の子供を残してだ。

——ひと、馬鹿《ばか》にしてる。

もともと、ここまで義理を立てる筋合いはなかったのだ、とおなみは思った。べつにあの男に対してやましいところなどありはしないのだ。夫婦して妙に思いこんでしまった挙句、こんな使いを引き受ける羽目になったに過ぎない。まともな頼みごとですらない、子供の使いのようなものをだ。

おなみは手に持った紙を引き裂いた。ふと人の気配を感じて横をみると、三間ほどむこうに、若い男が欄干にもたれて、じっとこちらを見ていた。男はおなみの険しい視線に気づくと、薄笑うような表情をうかべて背をむけ、人の流れに混じるとゆっくり両国の方に遠ざかって行った。

細かく引き裂いた紙を、おなみは川に投げ入れた。それから流れる汗を拭《ふ》きながら、また橋を渡りはじめた。今度峰吉が来たら、面罵《めんば》してやろうと思っていた。そして今後一切手を切るのだ、と思った。

「………?」

橋の上で、ふとおなみは立ち止った。さっき横から自分を見ていた男に、見覚えがあるような気がしたのである。あわただしく、おなみは記憶を探ったが、すぐに思いあたるような男はいなかった。諦《あきら》めて歩き出したとき、まるで諦めるのを待っていたように、一人の若い男の姿がおなみの脳裏を横切った。

「あ」

おなみは立ち止ると、すばやく後を振り返った。さっきの男が、はじめて鎌倉横町の裏店に物を届けた帰り、柳原の籾蔵《もみぐら》の手前で見かけた男によく似ていたのである。背恰好も、着ているものも同じだったと思った。同時におなみは、紙を引き裂く手もとを覗《のぞ》きこんでいた男の眼が、一度会っただけの豊次という岡っ引に似ていたことも思い出していた。人を探るような眼だった、と思う。普通の人間は、ああいう眼で人を見たりはしない。

おなみは欄干に寄って人通りを避けると、のび上がって橋の上を見渡した。だが昼近い両国橋には、地上を灼《や》く光が降りそそぎ、その下をいそがしげな足どりで人が歩いているだけで、探す男の姿は見えなかった。

――あたしは、岡っ引に跟《つ》けられていたのかしら。

ゆっくり歩き出しながら、おなみは初めてそう思った。そう思ってみると、それまで見えなかったものが、ぼんやりと見えてくる気がした。

岡っ引が跟けているとすれば、それは鎌倉横町の老人の家に近づいたためだろうし、そうさせたのは峰吉である。峰吉が自分ではあの家に行けない事情があって、届け物を頼んだことはわかっている。だが岡っ引に見張られているような届け物だとすれば、それはろくなものであるはずがないのだ、悪事の匂《にお》いがする。

おなみは微《かす》かに身顫いした。知らずに、悪事の手先を勧めたかも知れない、とふと思ったのである。面倒なことにならなきゃいい、と言った喜七の言葉を思い出していた。

「あの紙……」

おなみは思わず呟いた。どうみてもただの白い紙で、破ってしまえば紙屑《かみくず》だった。だがあれを届けることに、なにか意味があったのだろうか。あの一眼の老人は、おなみがそれを届けるのを、やはり待っていたのだろうか。

そこまで考えて、おなみは考えるのをやめた。その先を考えるのが恐《こわ》かった。紙は、とうに破って川に捨てている。

——どっちみち悪事の片棒など、かつがせられるいわれはないのだ。

おなみは首を振ってそう思い返し、急ぎ足に橋を渡った。

七

あの紙包み、というより紙だけの物が届いていないことがわかって、峰吉が早速やってくるかと、おなみは二、三日緊張した気持で過ごしたが、峰吉は来なかった。来ないのは、あれが大事な物でなかった証拠だとおなみは思い、だんだんにそのことを忘れた。両国橋の上で見た男のことも忘れた。

喜七が早く帰ってきた。外はまだ明るく、いつもより四半刻《しはんとき》は早い。おなみはいそいで台所に立った。喜七は、飯、飯とうるさい男である。ものを喰うことと煙草《たばこ》をのべつまくなしに喫《す》うほかは芸がなく、大工のくせに台所の外の羽目板が傾いているのを承知でいて、一切直そうとしない。

「おや、ちえは外で遊ばないのか」

と喜七が言っている。

「いいんですよ、もう帰って来たんだから」

「へえ、でも外はまだ明るいぜ」

「いいんだったら。せっかくいいくせがついたんだから、よけいなことを言わないでよ」

とおなみは台所から声を張りあげた。まったく男親などというものは、家の中のことなどなにもわかりはしないのだ。そのくせよけいな口出しだけはする、とおなみは腹が立つ。

暗くなっても家に入らなかったちえが、このごろは、まだ明るいうちに帰ってくる。だが、それは子供が心を入れ替えたわけではなく、遅くまで遊ぶ友だちがいないから、仕方なく帰ってくるのである。

栄太の家では、長い間夫婦で日雇いをしていたが夏の初めごろから、女房は外に出るのをやめて家にいる。身体《からだ》をこわしたということではなく、共稼《ともかせ》ぎでかなり溜《た》めこんだから、もう稼がなくていいのだと噂《うわさ》があった。この間一家で安房《あわ》の海辺に貝拾いに行ってきたと言い、おなみも貝の土産をもらったところをみると、噂は本当のようだった。

栄太の女房は、顔も手足も鶴《つる》のように瘦《や》せているが、丈夫そうに日焼けした女で、男のような高笑いをする。以前は朝仕事に出かけるとき、ちょっと顔をあわせるぐらいだったその女の高笑いを、おなみは日に何度か聞くようになった。

栄太の子供たちは、いまは始終母親にまつわりついていて、外で遊んでいても、日が傾くとさっさと家へ帰る。ほかの子供たちより早いぐらいで、現金なものだった。

佐五平の一家は夜逃げした。二、三日家の中が静かで、樽《たる》のように肥《ふと》った女房も、干魚のような母親も姿が見えないと思ったら、いつの間にか家の中が空になっていたのである。大家が来て調べたが、鍋釜《なべかま》の類《たぐい》まですっかり持ち出していて、これだけきれいに持ち出した夜逃げも珍しいと、大家が感嘆したという話だった。佐五平は店賃《たなちん》を三月分踏み倒して行った。

つまりちえは、昵懇《じっこん》の遊び友だちを三人、一ぺんに失った形だった。それでまだ日があるうちに家に戻る。それでいいとおなみは思っていた。峰吉に連れ出されたときのことを思い出すと、おなみはいまでも胸が騒ぐぐらいである。ああいうことが決してないとは言えない。裏店に出入りする者は結構多いのだ。

「じつは今日、佐賀屋の旦那《だんな》に耳よりな話を聞いてな」

喜七は茶の間の入口に煙草盆を持ち出すと、そこに坐《すわ》りこんで煙管《きせる》に煙草をつめた。

「なんですか、耳よりな話って」

「佐賀屋の持家で、これまで人に貸してあったところが、今度空くそうだ。俺に売ってもいいって言うんだがね。むろん表店だ」

「どこですか？」

「ここからちょっと離れて、深川の伊勢崎町だ。仙台堀の川っぷちになるが、場所は悪いところじゃねえ」

「………」

「建ててから十年たっているから買うんなら安くすると、佐賀屋は言うんだがね」

佐賀屋というのは、いま店の建てかえをしている六間堀町の酒屋である。小柳町の平助が仕事を請負い、いま喜七が棟梁《とうりょう》格で職人を指図している。

「どうかしらねえ」

とおなみは言った。手は休みなしに豆腐を切ったり、樽から引き揚げたたくあんを洗ったりしている。

「気がすすまねえらしいな」

「むこうの方はどうなんですか。棟梁の株の方は」

「そいつは親方に頼んである。だがその方はすぐというわけにいかねえや。心あてはあって話は進んでいるんだが、まだ、二、三年あとの話だな」

「二、三年なら辛抱しましょうよ、お前さん」

おなみは濡《ぬ》れた手を宙に垂らしたまま、板の間に膝《ひざ》をついて喜七を見た。

「そのときはどうしたってお金がいるんでしょ？　棟梁の株を買って、家はそれからでいいじゃありませんか」

「ふーむ」

と言ったが、喜七は気にいらないようだった。もうもうと煙草の煙を立てた。

「棟梁の看板をあげてしまえば、あとは何年かかって金をためようと、自分の家を買うだけだからいいけど、家を買ってしまったわ、株が空いたとき金がないわじゃ困るでしょ？」

「そんなことは、お前に言われなくともわかってら」

喜七は不機嫌な顔で言った。

「だが俺ァ、この裏店に倦《あ》きあきしてるんだ。ろくでもねえ男はたずねてくるしよ」

喜七は荒あらしい足音を残して、茶の間に戻った。だがおなみは動じなかった。喜七の魂胆は読めている。佐賀屋の旦那あたりに棟梁扱いされて、それだけの人間が、軒先に苔《こけ》がはえているような裏店に住んでいるのは恥ずかしいと思いはじめたのだ。いっときの見栄《みえ》に動かされて、眼が見えなくなっているに過ぎない。道理はこちらにある。

喜七は時どきこういう突拍子もないことを言い出す。だが自分の非をさとるのも早いのだ。いまも自分の言い分に無理があることにもう気づいたらしく、ちえをかまい、二人で笑い声を立てている。おなみは溜息《ためいき》をついて立ちあがると、たくあんを刻みはじめた。

その夜は、飯が済んだあとも、いつまでも暑かった。開け放した窓から、時おり吹きこむ風だけが、わずかに涼しい。そろそろ窓を閉めて寝なきゃな、と言いながら、夫婦は思いきり悪く起きていた。ちえは畳の上に眠っている。額に汗が浮くのを、おなみは拭いてやり、団扇《うちわ》で風を送った。

「さ、今度こそ寝なきゃな」

立ち上がった喜七が大きな声でそう言い、両手をさしあげて欠伸《あくび》をした。その時表の戸が開いた気配がした。夫婦が顔を見あわせた。

「………？」

「お前さん、出てよ」

おなみに言われて、喜七が茶の間を出ようとしたとき、みしみしと音がして、誰かが家の中に上がってきた。おなみは小さな叫び声をあげ、眠っているちえの肩を抱きしめた。喜七が後じさりし、そのあとから姿を現わしたのは、峰吉だった。

「なんだ、おい。挨拶《あいさつ》もなしに人の家に入りこみやがって」

喜七が怒鳴ったが、峰吉は柱に摑《つか》まったまま、おなみに眼をむけた。血の気を失って、透きとおるような顔をしている。ふだんも色の白い男だが、尋常の顔色ではなかった。

「おめえ……」

峰吉が口を開いた。ぜいぜいと喉《のど》が鳴って、囁《ささや》くような声だった。みると、峰吉は肩で息をしていた。

「届けてくれなかったそうだな」

「行ったんですよ。でも留守だったんですよ」

「ちがう」

金切り声をあげたおなみを、峰吉は凄《すご》い眼で睨《にら》んだ。

「向うはちゃんと待ってたんだ。ちゃんと、な」

「だってあの日は、子供が熱を出して。それだから、次の日に行ったんです」

「子供だと？」

峰吉はひくひくと小鼻を動かした。笑ったように見えた。

「おめえを、信用したのが間違えだった。しろうとは……」

柱に縋《すが》ったまま、峰吉はずるずると膝を折った。

「しろうとは、恐え」

峰吉の身体は畳の上に転び、二、三度大きく痙攣《けいれん》すると、不意に動かなくなった。峰吉の身体の下から、黒いものがゆっくり流れ出すと、幾筋かに分かれて畳を走った。

「おい」

喜七が手をのばして肩をゆすったが、峰吉はゆすられるままに、ゆらゆらと動いただけだった。

「死んだの？」

おなみが囁くと、峰吉の身体をさぐっていた喜七が振りむいてうなずいた。喜七も青い顔をしていた。

「腹かどっか、やられているらしい」

おなみは身じろぎもしないで、峰吉の死体を見つめた。いま、おなみには推察がついている。あのくだらない紙包みは、何を措《お》いても峰吉に言われたその日に届けなければならないものだったのだ。そうしなかったから、峰吉は死んだのだ。

　橋の上で考えたように、峰吉や、あの一眼の年寄は恐らく悪事をたくらんでいたのだろう。峰吉からのあの届け物は何かの合図だったかも知れない。それも大事な合図で、峰吉はその合図を送るのが役目だったに違いない。手違いが生じて、峰吉は責任を問われ仲間か、あるいは悪事を組んだ相手に殺されたのだ。だがこの男を殺したのはあたしだ。

「それにしても、この男は誰に殺《や》られたんだ？」

　喜七のひとり言に、おなみは目がさめたように夫を見た。新しい恐怖がおなみをわしづかみにしていた。はじめおなみの脳裏に浮かび上がったのは、一眼の年寄だった。だがその姿が消えたあとに、顔の見えない黒い男の影が姿を現わそうとしていた。

「いさよ」

　え？　何だい、と喜七が問い返したが、おなみは声が出なかった。顫《ふる》える指で峰吉の死体を指さした。おなみには見えていた。峰吉の死体は穴だった。穴の向う側に黒ぐろとひろがる闇《やみ》があった。闇の中に、いさが立っているのがわかった。いさが穴の向うからこちらにやって来ようとしているのか、これでつながりが切れて遠ざかろうとしているのかは、あまりに暗くて見えなかった。

閉ざされた口

一

長屋の裏手に、僅《わず》かな雑木林が残っている。冬になると、葉が落ちた林の向うに曹《そう》洞《とう》宗の磧運寺《せきうんじ》の塀《へい》が透けてみえる狭い場所だが、子供はその空地が気に入っていた。

家には病気の父親が寝ている。なんの病気なのか、子供にわからないが、無精髭《ぶしようひげ》ののびた青白い顔を天井に向け、時どき激しい咳《せき》をする。咳がはじまると、父親は胸の上の掻巻《かいまき》をはねのけ、身体《からだ》をねじ曲げて一心に咳《せ》く。そのときだけ、顔色が真赤になるのが、子供にはおそろしかった。息をつめて、咳が終わるまで見まもる。

母親は大概外に出ていて、日中家にいることはめったにない。夕方になると帰ってきて、いそがしげに夜食の支度をする。だから子供は、時どきおそろしい咳をする父親と一緒にいるしかない。咳は獣が咆《ほ》える声にも似ていて、子供は、父親の身体の中に、別の生きものが棲《す》みついているに違いないと考えることもある。

たまに父親は、子供に声をかけてくることがある。だが子供の相手をするのはいっときのことで、じきに大儀そうに眼をつぶってしまう。軽いいびきをかくこともある。

子供は立ちあがって、音がしないように、煤《すす》けた障子をそっと開け、部屋を出る。すると眠っていると思った父親が、「そとへ出るのか」という。そとへ出てもいいが、川のそばには行くな、と附《つ》け加える。父親の言うことは、いつも決まっている。

長屋の木戸を出ると、子供は父親に言われたように、表には出ないで、裏手の雑木林に行く。表には道の向う側に、大川から入りこんでいる掘割がある。土地の者は埋堀と呼んでいる。町を西の外れまで行くと、河岸に出て大川に突きあたる。堀は、覗《のぞ》きこむと魚が泳いでいるのがみえて面白いが、子供はそっちにはいかない。父親の言ったことが頭の中にあるからだが、それはばかりではなかった。堀端には、大概町の子供たちが群れていて、石蹴《いしけ》りをしたり、竹竿《たけざお》を水に突っこんだりして遊んでいる。

そういう町の子供たちに混って、遊びたい気持が、子供にはある。だが子供の心には、大勢いる子供たちをおそれる気持もあった。ひとりひとりの子供たちはおそろしくない。だが子供たちは、大勢いるとかならず父親の病気のことを言ってはやし立てるのである。彼らが、なにを言っているのか、五つの子供にはよくわからない。だが彼らが、その言葉で仲間から自分を弾《はじ》き出そうとしている気配は、鋭く胸を刺した。だから、大勢の子供たちの声がしている表には、行こうと思わない。子供はずっと前から、裏の雑木林で一人で遊んでいる。

だが春先の雑木林は気持がよかった。上を見上げると、青く晴れた空に、白い綿毛を光らせた嫩葉《わかば》が日射《ひざ》しを浴びて光っている。林の中には厚く落葉が積もっているが、その落葉の中にちゃんと道がついていた。道は途中で分かれて、どういうわけか塀ぎわで消えているのもあるが、最後の一本の道は、磧運寺と並んでいる武家屋敷の塀に達し、そこの潜戸《くぐりど》の前で終わっている。

子供は、黒く塗られ、古びたその潜戸の前に、長い間じっと立っていることがある。そういうとき、子供の幼い頭の中は、その戸の向うに何があるだろうか、という好奇心でいっぱいになる。だが、潜戸はこれまで一度も開かれたことがなかったし、戸の向うに何かの物音が聞こえたこともなかった。高い塀の向うは、いつもしんと静まりかえっている。

子供はいまきた道を引き返し、木の幹を這《は》いまわっている蟻《あり》を眺めたり、灌木《かんぼく》の繁《しげ》みにぶら下がっている何かの虫の抜け殻を、手をのばして取ったりする。そしてその抜け殻を大きな椿《つばき》の繁みの中にある、自分の家に運ぶ。

雑木林の中には、こんもりと枝葉をひろげた椿の繁みが幾つかある。その繁みのひとつは、入りこむと子供がすっぽり入れる空洞を隠していた。はじめてその空洞を見つけて中に潜《もぐ》りこんだとき、子供はすぐにそこを自分の家と決めた。

空洞の中は、白っぽくねじれあう、奇怪な形の椿の幹の根もとに、柔らかな草が生えた地面があり、そこに蹲《うずくま》ると、枝葉は傘のように子供を隠してしまう。葉の陰からそとをのぞくと、見なれた林の景色が、別の場所のように違ってみえた。林の中に降り立った小綬鶏《こじゅけい》が、すぐ眼の前をゆうゆうと歩きはじめたとき、子供はその自分の家がすっかり気に入ってしまったのである。

子供は椿の下に潜りこむと、その幹の下に置いてあるとんぼの死骸《しがい》や、蟬《せみ》の殻などにならべて、木の葉の筋で出来ているような虫の殻を地面に置いた。それから枯葉で蓋《ふた》をしておいた穴を開いて、中に入れておいた母親の折れた櫛《くし》、千切れた草履の緒などを引き出して遊びはじめた。

落葉を踏む足音がしたとき、子供は秘密の家の中が、ほとんど薄暗くなっているのに気づいて、あわてて立ち上がった。その拍子に母親に結ってもらった頭が、椿の枝にぶつかり、子供はまたあわてて蹲った。葉の間から、人の姿が見えた。落葉を踏み鳴らして、子供の家に近づいてきたのは、二人の大人だった。

男二人は、椿の繁みのすぐ前で立ち止まり、何か話しはじめた。最初は低い声だった。だがそのうち一人が大きな声を出し、一人が手をのばしてその口をふさいだ。口をふさがれた方は、ふさいだ方よりも年取っていた。年寄りだった。瞬《まばた》きもせずその様子をみながら、子供は、おじいさんが可哀《かわい》そうだ、と思った。

その次に口をふさいだ方の男は、年寄りの顔を腕で抱えこむようにしながら、懐《ふところ》から光るものを持ち出し、年寄りの胸に突き刺した。二度も、三度も突き刺した。そのたびに、年寄りの身体が跳ねあがるように暴れた。だがもう一人の方が手を離すと、年寄りの身体はそのままずるずると落葉の上に崩れ落ちた。着物の裂け目から、赤いものが溢《あふ》れ出して、着物を濡《ぬ》らすのが、子供の眼からみえる。

あれは血だと思った。ある夜中、母親の叫び声で眼をさますと、父親が布団《ふとん》の上から畳まで赤いものを吐き続けていたのをおぼえている。そのときと同じ色のものが、年寄りの胸から腹のところに何本も糸をひいて流れ続けている。

転がっている年寄りの身体のそばに、もう一人の男がしゃがんだ。そして年寄りの懐に手を入れて、なにかを引き出すと、自分の懐にしまった。それから顔をあげてあたりを見回した。日は落ちて、雑木林の幹は黒く、男の顔は白っぽく見えたが、男の眼の凄《すご》さは、子供をふるえ上がらせた。それは病気の父親の身体の中に棲んでいる生きものと同じように、悪いおそろしい者の眼だった。人間の眼とは思えなかった。

男の眼が、自分が隠れている椿の繁みにとまったとき、子供はおそろしさに叫ぼうとした。だが声は出て来なかった。

男は立ち上がると、不意に背をむけて歩き出した。落葉を踏む足音が、次第に遠ざかるのを聞きながら、子供は何度も何度も絶叫した。父親を呼び、母親を呼んだ。だが喉《のど》はふさがり、舌は凍りついたままだった。

二

「どうかね、ねえちゃんは」

上がり框《がまち》に腰をおろすと、岡っ引の伊平次はそう言って家の中をのぞきこんだ。

「なんか変ったところはねえかい」

「おんなじですよ」

とおすまは答えて、同じように部屋の中を振り返った。おようは部屋の隅で、こちらに背を向けて坐《すわ》り、何かを一心にいじっている。

「ひとことも喋《しゃべ》らずかい」

「ええ」

「ああして、何やってんだね」

「人形をいじったり、千代紙を折ったりして遊んでるんですよ」

「ふうむ。よく倦《あ》きないもんだな」

伊平次は感心したように言ったが、不意に渋面をつくった。

「どうも皆目見当がつかないんでね。弱った。俺はもう諦《あきら》めかけているんだが、三間町の方がうるさくてな。諦めさせてくれねえ」

「そうですか」

「一度その子供に会わせてくれねえか、なんても言うんだがね」

「おようにですか？　そんなことは困りますよ。あのとおりなんですから、無理に聞きただしたりして、病気がひどくなったりしたら困りますから」

「病気かね、やっぱり」

「それはそうにきまってますよ。ああして、自分の親にさえ、ひと言もものを言わないんですから」

「わかった。三間町の話はないことにしよう。いや、俺も駄目だろうとは言っておいたんだ。三間町がなにか聞いて、おねえちゃんが喋るようだったら、俺がこんな苦労はしてねえや」

伊平次は気性がさっぱりしたところがある。暮らし向きが苦しかった若い頃に、頼まれて岡っ引になったという話だったが、いまは女房に小料理屋を開かせて、岡っ引という柄ではなくなった。それでも仕事には熱心で、むろん悪い噂《うわさ》などないから、町の者には信用されている。

長屋の裏の雑木林で、浅草三間町に住む金貸し島右衛門が殺された事件は、縄張りうちで起きたことでずいぶん熱心に探索したようだったが、一年近くたったいまも、犯人らしい者はつかまっていない。それで思い出したように、時どきおようの様子を窺《うかが》いにくるのである。島右衛門が死体で見つかったとき、おようはそのそばに立っていたのだ。伊平次が三間町というのは、殺された島右衛門と同じ町内に住む岡っ引の仁兵衛のことである。

「しかし、どうも残念でならねえ」

そろそろあんたも出かける時刻だろうから、と立ち上がりながら、伊平次はなおもそう言った。

「その人殺しを確かに見たに違えねえ子供が、眼の前にいるってえのに、何にも聞き出せねえのは、じれってえ話だの」

「でも巴屋《ともえや》さん」とおすまは言った。町の者は伊平次を、伊平次の女房がやっている小料理屋の名前で呼ぶ。

「そうおっしゃいますけど、たった五つの子供ですよ。おようはまだ五つだったんですから、たとえそのとき男をみているとしても、何もわからなかったかも知れませんよ」

「いや、そうじゃないね」

伊平次は板の間に坐っているおすまを、睨《にら》みおろすように、少し厳しい表情になって言った。

「あんた、いま男と言ったが、島右衛門を殺したのは、女かも知れねえのだ。もしおようが喋れたら、男か女かぐれえは言えるわけよ。こっちはそれだけでもおおきに助かるというもんだ」

伊平次は、犯行は金の貸し借りに原因があると睨んで仁兵衛と一緒に調べた。島右衛門を、人気《ひとけ》のない雑木林に連れこんだからには、顔見知りの者のしたことに違いなかったが、顔見知りといっても、利害関係のないものが、島右衛門を刺し殺したりするはずはない。

伊平次と仁兵衛は、島右衛門の帳面で、金の貸出し先を割り出し、丹念に一人一人当たった。そうして調べた者は三十人以上にのぼり、そのなかでまだ疑いが晴れていないものが五、六人残っている。すぐには返せそうもない大金を借りた者や、借りた額は小金だが、長い間に利息がたまって、かなりの額になってしまった者などである。

その中には男も女もいる。そういう連中は、おそらく島右衛門から厳しい催促をうけていたに違いなかった。

だが疑わしいと思っても、その先に調べがすすまない場所で、伊平次は立ち往生している。

「俺の考えじゃ、おようは男か女どころか、島右衛門を殺した奴《やつ》の顔を、まだおぼえているね。だから怖くて、いまだにああして何も喋れないのだろうよ」

おすまは小さく身顫《みぶる》いした。伊平次の言うことは、多分間違っていないだろうと思ったのである。

事件が起こった日、おすまは手伝いに通っている浅草広小路の料理茶屋が、客が混んで帰りが遅くなった。家に戻ったときには、足もとがおぼつかないほど薄暗くなっていたが、病気で寝ていた亭主の常吉に、おようがまだ外から戻っていないと聞いて、驚いてまた引き返した。そして薄暗い雑木林の中で死体のそばに、茫然《ぼうぜん》と立っているおようを見つけたのである。おようは母親の顔をみても、泣きも叫びもせず、人形のように白っぽい顔を、母親に向けただけだった。

その日以来、おようは一切ものを喋らない子供になってしまった。そして外にも出なくなった。以前は寝ている父親の眼をかすめて、隙《すき》があれば外に出たがったのに、いまは部屋の隅で、古びた人形や、母親の化粧道具をいじって、黙って遊んでいるだけである。たまに部屋を出ても、土間の壁によりかかって、元気よく路地を駆けまわる子供たちを眺めているだけである。そして部屋に戻ると、いましているように、また自分だけの遊びに戻ってしまう。

——あたしほど、不幸な女はいない。

伊平次を送り出すと、おすまはしばらく板の間に坐った姿勢のまま、膝《ひざ》の上に手をにぎりしめてそう思った。亭主の常吉は、去年の暮れに死んだ。二年間寝たきりだったが、その前からの癆痎《ろうがい》の病で、寝こんでからは一度も起き上がれないで死んだ。そして残された子供は、ひと言もものを喋らない変った子供になってしまった。そういう子供を抱えて、生きて行くのが、ひどく大儀なことに思われる。おすまはひどく疲れていた。病気の亭主を抱えて、二年越し苦労した疲れが、まだ身体《からだ》のどこかに重く澱《よど》んでいた。

おすまは茶の間に引き返した。世帯《しょたい》道具が貧しいがらんとした部屋の中で、おようがうしろ向きに坐って、ひっそりと何かしている。母親が戻ってきても知らぬふりだった。みるとさっきまでは母親の鏡を持ち出して、髪をいじっていたが、いまは人形に着物を着せている。

「およう は、何してるの」

無駄だと思いながら、おすまは声をかけてみる。その声に、子供はちらと振り返ったが、そのまま手もとの遊びに戻ってしまった。小さな後姿が、なにか見知らぬ力にとらわれて、母親から引きはなされてしまったように遠くみえる。

小さいなりに円い肩や、尻《しり》の下から出ている小貝のような足指をみているうちに、おすまはむしょうにおようが哀れになり、抱きしめて口説《くぜつ》を言いたい衝動に駆られた。だがそんなことをしても無駄なことは、解《わか》っていた。およう は、そんなふうに何べんかおすまが泣きくどいたことがあったのに、貝のように口を閉ざしたままだったのである。

「おいで。かあちゃん、出かけるからね」

おすまは言うと、鏡をかざして手早く髪をあたってみた。鏡の中には、まだ二十三なのに、眼のあたりに疲れをみせた年増《としま》の顔があった。

――こんな顔してちゃ、あのひとに嫌われる。

おすまはそう思った。この頃自分に通いつめてきている吉蔵のことが頭を掠《かす》めたのである。吉蔵は小梅の瓦《かわら》町で働いている、瓦焼き職人だが、気持の優しい男だった。

別になんの約束もしたわけではないが、吉蔵なら子供がいるのを承知で、いつか自分を女房にしてくれるかも知れないと思う時がある。子供を隣に預けて、夜働きに出る暮らしに、おすまは疲れていた。誰でもよいから縋《すが》りつきたいような、意気地のない気分がある。おすまはこのごろ、瓦焼き職人の吉蔵に、ひどく心が傾いているのを感じる。

ふと鏡の中に人影が動いた。おようが人形を抱いて立っている。おすまは思わず顔を赤らめた。表情のないおようの顔に、かえって心の中をのぞきこまれたような気がしたのである。

おすまは戸締りをし、およりの手を引いて隣に行った。隣には、子供は成人してよその町で暮らしているという年寄夫婦が住んでいる。夫婦はおようを預かるのを厭《いや》がっていなかった。子供たちはめったに長屋を訪ねることはなく、来てもすぐに帰ってしまう。夫婦は、昼も夜も黙々と紐《ひも》編みの内職をやっている。喋らないおようが加わっても、それで家の中がにぎやかになるわけではなかったが、それでも二人きりでいるよりはいい。爺《じい》さんの顔ばかりみていると、気が滅入《めい》ると、婆《ばあ》さんはいうのである。

おようを預けると、おすまはいそぎ足に町を抜け、大川端に出ると、青物河岸《がし》から大川橋にむかった。柔らかい春の風が足もとをなぶって通り過ぎる。前褄《まえづま》をおさえながら、小刻みに足を動かして行くおすまの姿は、茶屋勤めの女のものになっている。

勤めている天城屋《あまぎや》という料理茶屋は、広小路から南に入った東仲町の奥まったところにある。おすまはそこで台所も手伝い、酌取りをし、なり行きで客と寝る。だが細面のやや眉《まゆ》のあたりに愁《うれ》いのある顔をうつむけて行くおすまは、身体を売るような女には見えなかった。

三

酒の酌をしながら、おすまは吉蔵の様子がいつもと違っている気がした。いったいに口数が多い男ではないが、今日はことに話がとぎれる。それに時どきおすまから眼をそらすような時があった。はたして吉蔵は、いい加減なところで盃《さかずき》を伏せた。

「あら、帰るんですか」

おすまは、さすがに驚いてそう言った。吉蔵は、いつもならおすまと一刻《いっとき》寝て帰る。それが楽しみで、せっせと働くのだ、と恥ずかしそうに打明けたこともある。吉蔵は二十八だが、まだ世間にすれていないところがあった。

「うん。今日はほかに用事がある」

吉蔵は言ったが、その言葉が嘘《うそ》であることは、おすまを見た眼が右に左に走って落ちつかないことでわかった。

「いつもと違うのね。なにかあったんですか」

「…………」

「なにか気にいらないことでもあるんですか。隠さずに言ってください」

「いや、べつにそんなことはないよ」

「そう。そんならいいけど。今度はいつきてくれる？」

「それが……」

吉蔵はうつむいて口ごもった。その顔がみるみる真赤になった。おすまは悪い予感で胸の動悸《どうき》が高まるのを感じた。

「まさか、もう来ないつもりじゃないでしょう」

「…………」

「来ないつもりなのね。どうして？」

おすまは、思わず鋭い声になった。吉蔵が自分から逃げて行こうとしている。その気配がわかった。一本の絆《きずな》につながれていたと思っていた男が、不意に影のように頼りない、赤の他人に変ろうとしていた。

おすまは改めて吉蔵の顔を見直した。男前という顔ではない。肩のあたりの厚味にくらべ、頰が瘦せて、いつも疲れているような、細いやさしい眼をしている。そのやさしさを頼りにしていたのに、吉蔵はその顔で、やはり自分を金で買った娼婦として扱うつもりなのだろうか。

おすまは吉蔵と寝た夜のことを思い出していた。おすまは、亭主の常吉が、工合悪くて時どき仕事を休むようになった頃から、天城屋に勤めていたが、身体を売ったのは、常吉が床について起き上がれなくなってからだった。亭主を裏切るという気持はなかった。そうしなければ、親子三人が食べて行くことが出来なかったのである。時には朋輩《ほうばい》の女中が休んだひまに、その馴染《なじ》み相手を盗むような、悪どい稼《かせ》ぎまでした。

吉蔵と知り合ったのは、そんな荒れた稼ぎを続けているころだった。初めて寝た夜から、吉蔵の優しさに気づいた。その優しさに目がさめるような気がしたことをおぼえている。吉蔵は、娼婦としてでなく、一人の女としておすまを扱っていたが、それが吉蔵の人柄から出ていることを、おすまは悟ったのだった。常吉が死ぬと、おすまはやたらに客と寝ることをやめた。おようと二人だけの暮らしなら、そんな荒い稼ぎをすることもいらなかったのである。ただ、十日に一度ぐらい訪ねてくる吉蔵とだけは寝た。金で買われているという気がしなかったからである。吉蔵の金で、誰にも煩《わずら》わされない刻を買うのだと思った。

床の中で、おすまは男と並んで寝ながら、死んだ亭主の話をしたりした。十六で常吉と一緒になり、すぐに子供が生まれて世帯の苦労をした。大工の下職に過ぎなかった常吉が病気になると、暮らしの苦労は、まるで一家の上に重石《おもし》が載ったように、どっしりと覆《おお》いかぶさってきた。そんな話を、吉蔵は黙って聞き、話が終わると、やはり黙ったまま、厚味のある腕の中におすまを抱えこんだ。そういうところが吉蔵の優しさだった。

「ねえ、どうしてなんですか」

とおすまは言った。

「あんたが、もうここへ来たくないというのを、あたしは追っかけたりしませんよ。だけどわけを聞きたいの」

「………」

「わかった。嫁さんもらうんですか」

そうか。わけもなにもありゃしない。吉蔵のようにまともな職を持って、まだ二十八の丈夫な男が、なにも好きこのんで子持ちの淫売《いんばい》と一緒になることはないのだ。その気になれば、若い生娘《きむすめ》がいくらもいる。

「いや、違う」

吉蔵は重苦しい表情で言った。

「じゃ、なぜなの？　田舎にでも帰るの？」

「そうじゃないよ」

吉蔵はまぶしそうな眼で、おすまを見た。

「英助という男に会ったんだ」

「………」

おすまは眼を見張った。そうか、またあの男が現われたのか。

「この前来たときに、帰りに威《おど》されて、金を取られた。あんたの情夫《いろ》だと言っていたよ」

「それを信用したの？」

「信用するもなにもないさ。あんたの色男気取りでいるのが気に入らない、と言ってたね。懐《ふところ》から匕首《あいくち》の鞘《さや》をのぞかせるんだ。こっちは言われたとおり、金を出して謝るしかなかったよ」

「情夫だなんて嘘よ」

「そうかも知れないが、俺はああいうこわいことは嫌いなんだ」

「………」

「ここへくるのはもうよそう、とよっぽどそう思ったが、やっぱり一度だけ顔を見たくてね。でもあまり晩《おそ》くならないうちに帰るよ。またその辺に、あいつが待ち構えているんじゃないかと思うと気分が落ちつかないしな」

「…………」

「あんたの子供のことも言っていたよ」

「なにを言ったんですか?」

「まともな子じゃないそうだな。ものを喋《しゃべ》らない子だって言うじゃないか。俺はあんたにそんなことは聞いてなかったよ」

「もうたくさん」

おすまは言った。怒りに眼がくらんだようになっていた。英助というダニのような悪党に対する憤《いきどお》りがほとんどだったが、吉蔵に対しても怒りが動いていた。一緒になろうという男が言うことならわかるが、去って行こうとする男が、おようのことを言ったりするのは許せない、という気がした。それこそよけいなお世話ではないか。

英助は、おすまが身体を売ったとき、最初の客だった男である。おすまと同じ年輩にみえる若い男だった。若いくせに天城屋にくると必ずおすまをくどいた。お前さんは、床の中の味が格別いいはずだ、と中年男のようないやらしい言い方で誘った。だが英助は何をしているのか、正体のわからない男だった。天城屋に来るときも、大金を持って散財して行くこともあれば、眼をくぼませ、身なりも垢《あか》じみて、一本の徳利《とっくり》を大事に嘗《な》めるようにして空け、ぷいと帰ったりする。そういう男だった。天城屋でも、この男の正体を摑《つか》みかねていた。あれは博奕《ばくち》打ちさ、という女もいれば泥棒に違いないと言い張る者もいた。決まった馴染みはいなかったのだが、いつからかおすまに執心を示すようになった。

はじめのうち逃げていたおすまが、身体を売ると決めたとき、英助を最初の客にとったのは、同じ寝るにしても脂《あぶら》ぎった中年男や、皮膚の乾いた年寄りはいやだという気持があったからである。英助は正体の知れないところをのぞけば、顔立ちも悪くない男だった。おすまは面を喰ったわけだが、その報いはたちまちあらわれた。英助は、はじめのうちは、おすまに余分なほどの金を摑ませた。別に乱暴なことをするでもなし、案外ないい客のようにも思えた。おすまは、病気の亭主を抱えて働き詰めで、ひさしく女の喜びとも縁が切れていたから、ひと頃英助に溺《おぼ》れた。心を移したということはない。身体が、ひとりでに溺れたのだが、そのことで亭主に済まないと思う気持は薄かった。商売だと割り切った気持でいたからである。英助のほかの男とも、枕《まくら》をかわすようになった。

報いというのは、やがて英助が情夫きどりで、時どき金を持たずに寝にくるようになったことである。おすまが拒むと、英助は殴りつけた。そのうちもっと悪い噂《うわさ》が聞こえてきた。英助が、おすまと寝たほかの男を威して、金を取っているというのだった。天城屋の主人も、店の信用にかかわる話だからと、岡っ引の仁兵衛を呼ぼうとした。そのことを、いち早く聞きつけたらしく、英助はぷっつりと姿を消してしまった。おすまが、吉蔵と知り合ったのはその後のことである。

その男が、またこの界隈《かいわい》に現われたと、吉蔵は言っている。情夫だなどと言って、吉蔵を威したり、子供のことを言ったりしたとすれば、英助はひそかにおすまの暮しを見張っていたとしか思われない。おすまは、怒りがしぼんであとに、無気力なものが心の中に入りこんでくるのを感じた。しかたない。あたしはそれだけの汚れた暮らしをしてきたのだから。

「わかったわ。あんたを頼りにしていたんだけど、そういう事情なら仕方ないわね」

「その英助という男をどうするんだい。またよりを戻す気かね」

「冗談でしょ」

おすまは捨てばちな気分で言った。

「今度会ったら、殺してやるわ。あんなろくでなし」

四

「どうかしたかい、おすまさん」

声をかけられて顔をあげると、鳥越《とりごえ》の旦那《だんな》と呼ばれている清兵衛という男が立っていた。天城屋の馴染客で、四十過ぎの金の使い方がきれいな男である。とくに馴染んだ女というのはいないで、芸者を呼んで、さっとひと騒ぎして帰ることが多い。恰幅《かっぷく》がよく、鳥越で古手物《ふるてもの》を商っている店の主人だというが、商人らしい落ちついた物言いをする男だった。

「あら旦那」

おすまは立ち上がった。吉蔵を送って出たあと、二階に上がる梯子《はしご》の上り口に腰かけて、ぼんやりと時を過ごしていたようである。

「いま、いらしたんですか」

「うむ。ちょっと客が立てこんでね。やっと抜け出してきたところだ。それより、あんたばかに沈みこんでるじゃないか。顔色は悪いし、どっか身体《からだ》のぐあいでも悪いかね」

「いいえ」

おすまは首を振った。吉蔵にそれほど惚《ほ》れていたつもりはなかったのに、二度とここに現われることがないのだ、と背中を見送ったあと、しんしんと淋《さび》しくなったのである。

「今夜は、振られたんですよ」

「振られた？」

清兵衛は艶《つや》のいい、浅黒い顔を綻《ほころ》ばせて笑った。白い歯がのぞいた。

「こいつは驚いたね。おすまさんのようないい女を振って帰るような、馬鹿《ばか》な男もいるのかね」

「いいえ、馬鹿はあたしの方ですよ」

「なにかわけがありそうだね。よかったらあたしの酌をしてくれないか。少し話を聞こうじゃないか」

「有難うございます、旦那。でも芸者衆をお呼びになるのじゃありませんか」

「なに、今夜は遅いし、ただ酒を飲めばいいのだから。おすまさんが空いているのなら、願ったりかなったりだ」

おすまは二階のひと部屋に清兵衛を案内し、酒を運んだ。清兵衛がさす盃《さかずき》をうけて、おすまも飲んだ。

清兵衛がしきりに問いただすので、おすまは、事情を話してみることにした。清兵衛は遊び人という人柄ではなく、落ちついて実直なところがみえる。二、三度酒の席に出ただけで、それほど知っている相手ではなかったが、信用がおける感じがあった。

「瓦町の職人で、吉蔵さんという人が、長いことあたしに通ってきてたんですよ」

「そいつは、ごちそうさまだ」

「旦那、ちゃかさないで聞いてくれます？　あたしにとっては大事な話なんですから」

言いながら、おすまは少し酔ってきた、と思った。吉蔵とも飲んだのだが、話があいうふうになって、酔いが外に出て来なかった。その下地が、飲み直して急に出てきたようだった。

「いいよ。話してみなさい」

清兵衛は微笑を含んだ眼で、おすまを眺めながら言った。

おすまは、はじめに英助のことを話した。これまでのいきさつを包まずに話して、それから吉蔵の話にもどった。

「あたしは子持ちで、こんなところで働いている女でしょ。堅気の人のかみさんにしてもらおうというのは、少し虫が好すぎたかも知れないんです。でも吉蔵さんは、そういうことを承知の上で、あたしを好いてくれたっていう、気がするんです。それが、めちゃめちゃになったというわけ」

「なるほど。それでさっき下でふさいだ顔をしていたというのか」

「子持ちの年増《としま》でしょ。それに金のために男と寝るような女でしょ。そのうえ妙な男がくっついているとなれば、大概惚れ合っていたって、尻《しり》ごみしますよ、旦那。そうでしょ?」

「まあ、あんたには悪いが、あたり前の男なら二の足を踏むところだな。あんた、その吉蔵さんとやらを怨《うら》んじゃいけないいな」

「怨んでなんかいませんよ。あの人のことは有難いと思っているくらいですよ」

おすまは、清兵衛の盃に酒を注ぐついでに、自分の盃も満たした。

「でも、英助は憎い。今度出会ったら殺してやります」

「おい、おい。穏やかでないことを言うもんじゃないよ」

清兵衛は声を立てて笑った。

「べつに殺さなくとも、手を切らせればいいんだろ」

「それはそうですけど。旦那はあの男を知らないから、そんなことをおっしゃるんですよ。まるでダニみたいにしつこい男なんですから」

「なに、金を摑ませれば手を引くさ」

清兵衛はやはりにこにこ笑いながら、こともなげに言った。

「ある程度金を摑ませて、どうだと談じこむ。お上《かみ》に訴えてもいいんだろうが、うまくいかないときは、えらいことになるからね。そういう奴《やつ》に限って、逆恨《さかうら》みがひどいもんだ。やっぱり金だね」

「でも、そんなこと言われても」

「なんだったら、わたしが手を貸してもいいよ。金も出してやるし、二度とつきまとうことはしないと、約束させてもいい」

「旦那が？」

おすまは上体を引くようにして、清兵衛をみた。すると、真面目《まじめ》な顔でこちらをのぞきこんでいる清兵衛の眼にぶつかった。なにか得体の知れない、息苦しいものに、身体をつかまれたような気がした。気だるい指をあげて、襟《えり》もとを合わせながら、おすまはその気分にあらがうように言った。

「でも、英助はどこに住んでいるかもわからない男ですよ」

「あんたのさっきの話を聞くと、その男は博奕を打っているに違いないね。こういう男は出入りするところが決まっているから、案外早く見つかるもんだよ。わたしは博奕は打ったことがないが、知り合いが沢山いるから、聞けば英助とかいう男の居場所ぐらいわかるかも知れないね」

「…………」

「どうだね？　わたしにまかせないかね」

清兵衛の声は、絡《から》みつくような粘っこさを帯びはじめていた。

「まかせてもらえれば、あの男に手を切らせてあげる。そのかわり吉蔵さんのことは諦《あきら》めてもらわないとね。両方いいということはないから仕方ないね」

「…………」

「ここまで言えば、あんたにもわかるだろうが、わたしはだいぶ前からあんたが気に入って、遠くから眺めていたのですよ。でもあんたは吉蔵という人以外には寝ないということを聞いたし、わたしの出る幕じゃないと諦めていたのだが、そういう事情なら、ひと肌ぬがせてもらおうかと思ってね」

「それで、あたしをどうするつもりなんですか。英助という虫を追っぱらって、あとは取って喰おうというんですか」

おすまは、やや捨てばちな気分でそう言った。男の好意などというものは、大概こんなものだ、と思った。親切そうに寄りそってくると思うと、こういう裏があるし、吉蔵のように裏も表もないと思っていると、あっさり逃げて行くのもいる。清兵衛はのけぞって哄笑《こうしょう》した。そして、いや、あんたは面白いことを言うひとだ、と言った。

「わたしは商人だから、はっきり言いましょう。あんたのような妾《めかけ》が欲しいのですよ。女房も子供もいるから、家に連れて行くことは出来ないが、一軒持たせて、あんたと暮らしたいのです」

「………」

　妾か、それも悪くないな、とおすまは思った。いまだって、落ちるところまで落ちたという気がすることがある。妾になることが、これ以上身を落とすことになるともいえない気もした。第一子供を隣に預けて、夜遅くまで働くこともなくなる。

　もっともそうなると、まともな男と世帯を持って、暮らしをやり直すという望みはぷっつり切れるわけだが、そういう考えが、どんなに高望みかは、吉蔵が、ただ一度英助に威《おど》されたというだけで、さっさと離れて行ったことでもわかる。吉蔵と知り合う前は、相手を選ばず、金をくれる男と寝た女なのだ。妾暮らしは相応の落ちつき場所かも知れなかった。

「今晩すぐに返事をしてくれなくともいいよ」

そう言いながら、清兵衛は膳《ぜん》を片寄せて、おすまの前に身体を移した。清兵衛の着ているものから、ぜいたくな匂《にお》いが寄せてきた。

「ただ、その英助とかいう男がいるかぎり、あんたは同じようなことを繰り返すしかないだろうな。蝿《はえ》と同じで、追っぱらっても必ずまた戻ってくる。ぴしゃっとやらないと駄目だね」

清兵衛は、おすまの手を取って、指をもてあそんだ。乾いて大きな男の掌《てのひら》だった。

「むろん、無理にと言ってるわけじゃない。どうかと聞いているわけで、これは取引ですよ。あんたがいやだということなら、これは商いが成り立たないのだから、わたしは手をひきます。でも、そうなれば、あんたはいままでと同じような暮らしが続くわけだ。あんた、倦《あ》きないかね。そういう暮らしに」

清兵衛の指は微妙に動いて、おすまの身体の奥にある、脆《もろ》く崩れやすいものを擽《くすぐ》ってくる。おすまはうつむいて、熱い吐息を洩《も》らした。

「かわいがってやるよ。わたしはあんたに惚れていますからな」

「子供がいるんですよ」

不意に身もだえて、男の指を振りほどきながら、おすまは言った。

「子供？　子供の一人や二人いたって、どうということはないじゃないか。それとも三人もいるのかね」

その夜、おすまはいつもより遅い時刻に店を出た。広小路に出て、はじめて月が出ているのに気づいた。潤《うる》んだようなおぼろ月が、深川の方の空にかかっている。夜気は生あたたかくぬるんでいた。

大川橋の上で、おすまはちょっとの間、立ち止まって川を見おろした。川波は鈍く光って揺れていたが、川上にも川下にも、水面を覆《おお》いかくす靄《もや》があって、黒い水の流れはそこで消えていた。吉原《よしわら》帰りの舟らしいのが一艘《そう》、明るい灯をともして、橋の下を通りすぎて行った。

おすまは提灯《ちょうちん》を持ち直し、ゆっくり歩き出した。ああ言われて、すぐに清兵衛と寝てしまったのが、心を責めていた。自分がどうしようもなく堕落した女のように思われてくる。――ひどい女だ、あたしは。

おすまは、隣の家の茶の間で眠っているに違いない子供のことを考えた。すると清兵衛の手で揉《も》みしだかれた身体のほてりが、少しずつ冷えて行くようだった。

――あたしほど、ふしあわせな女はいない。

おすまは、いつものようにそう思った。吉蔵に去られ、清兵衛に拾われたのも、男運のなさを示す出来事だったと思われたのである。おすまは眼に涙が溢《あふ》れてきたのをそのままにして、少し足どりを早めた。橋を渡ったところに、人気のない青物河岸《がし》がみえてきた。

五

「どうだね。気に入ったかね」

清兵衛はにこにこしてそう言った。小ぢんまりしたしもた屋だった。場所は諏訪《すわ》町から西側に入った福富町二丁目の中である。同じようなしもた屋が数軒並んでいるところで、裏手には雑木林が少し残っている。

そこが清兵衛が買い取ったという妾宅《しょうたく》だった。清兵衛とつながりが出来てから、まだ一月ほどしか経《た》っていない。その間に、清兵衛は英助を見つけ出して、あっという間にけりをつけ、一方で妾宅を物色していたのだった。

おすまは、おようの手を引いて、清兵衛のあとから、部屋を見回りながら、なんとなく気がすすまないのを感じていた。

家はむろん新しい家ではなかったが、台所の板の間も縁側もよく磨きこまれ、部屋の中も手入れされていた。高い塀《へい》が道を行く人の眼をさえぎって、庭もあり、裏手の塀越しに新葉をつけた雑木林が、日にかがやいているのが望まれる。広い縁側には日《ひ》射《ざ》しがあたって、家の中に、明るい反射光を投げかけている。石原町裏の二間だけの家にくらべれば、もったいないような広い家だった。

それでいて、どことなく気持が弾まないのは、清兵衛という男が、よくわからないせいかも知れなかった。吉蔵は、裏も表もない瓦《かわら》職人だった。英助は、そのつもりでみれば、間違いなく悪党だった。だが清兵衛は、そういうふうに、おすまの眼にはっきり見えて来ないところがあった。

——あのせいかも知れない。

とおすまは思う。そういうとき、おすまが思い出すのは、英助を、清兵衛と二人で訪ねたときのことである。

英助の居所が見つかった、と言い、清兵衛は、後腐れのないように片をつけるのだから、あんたと一緒に行った方がいい、と言ったのだった。おすまはそう言われて、清兵衛について行った。英助は南本所花町の裏長屋に住んでいた。

寝ていたところに踏みこまれて、英助はひるんだ様子だったが、用件がわかるとたちまち尻をまくって居直った。一年ほど見ない間に、英助は人相が崩れ、すっかり悪党面《づら》になっていた。清兵衛を威嚇《いかく》する言葉も、凄味《すごみ》があった。たとえ僅《わず》かな間にしろ、この男に溺《おぼ》れたことがあったと思うと、おすまは思わず寒気がしたほどである。だが清兵衛はびくともしなかった。金を十両出すと言い、それで手を引けないというのなら、これまで男たちを威して金を奪ったことを、お上に訴えると言った。威圧する口調ではなく、始終顔は薄笑いを浮かべていた。そんなはした金で手をひけるかと、英助は匕首《あいくち》を持ち出して凄んだが、清兵衛にはきき目がなかった。英助は最後には不服そうな顔で金を取った。

「わたしは、べつにあんたから証文をとったりはしません」

最後に清兵衛はそう言った。

「だが、それをいいことに妙なことをしたら、あんた、ろくなことになりませんからね。覚えておいてくださいよ」

清兵衛がそう言ったとき、おすまは思わず横から清兵衛の顔を盗み見た。その言葉が、英助の威しなどとくらべものにならない、無気味なひびきを含んでいるように聞こえたからである。そして思わずぞっとした。清兵衛は、薄笑いをひっこめて、仮面のように無表情な顔で英助を見ていたのである。

おすまはそのとき、床の中で身体《からだ》を触れ合うときの、清兵衛を考えたのであった。清兵衛は、おすまをおもちゃか何かのように冷酷に扱い、そうすることでいままで知らなかった身体の喜びを引き出した。おすまは狂わんばかりになる。だがその後で、恐ろしい疲れと自分がひどく堕落したという気持に打ちのめされるのだった。狂おしいほどの身体の喜びの中で、針に突きさされるように感じる清兵衛の冷酷さが、英助に向けられた顔に出ていた。

「ご念の入ったご挨拶《あいさつ》だ。わかったよ。なんでえ、人を嘗《な》めた口をききやがって」

英助は毒づいたが、貫禄《かんろく》負けしていることは明らかだった。英助の眼はきょろきょろと宙を走って、まともに清兵衛を見返すことも出来ないようだったのだ。

「さあ、ざっとこんな住居《すまい》だが、いつ越してくるかね」

日があたっている縁側に引き返すと、清兵衛は笑いながら言った。機嫌のいい顔だった。

「さあ、いつにしようかしら」

おすまは、おようの顔をのぞきこんだ。

「ここが今度から、おようとおっかさんと、このおじちゃんが住む家だって。広くていいね」

おようは相変らず胸にしっかりと人形を抱いている。その姉さま人形は、少し髪の毛が抜けはじめていた。おようは黙って清兵衛の顔をみているばかりである。

「おとうちゃんと呼んでもいいのだぜ。ん？」

清兵衛はおようの前にしゃがんでそう言ったが、おようは後じさりした。

「なんとも無口な子だね。ふつうの女の子というものはもっとお喋《しゃべ》りなものだが」

「ぜんぜん喋らないんですよ」

「ぜんぜん？」

清兵衛は眉《まゆ》をひそめた。

「喋れないのかね」

「いいえ、小さいときは喋っていたんですよ。それがあることがあってから、喋らなくなったんです」

「ふーむ」

清兵衛はしげしげとおようを見た。

「何があったか知らないが、かわいそうなことだ。だが、この家に落ちついて、近所の子供たちと遊ぶようになれば、そのうちには喋り出すだろう。根が女の子だからな」

「そうだよね、およう」

「おようというのか。いい名前だ」

清兵衛は、またおようの前にしゃがんだ。

「おとうちゃんと言ってみないか。こいつは簡単だから言えるだろう。え？」

「だめですよ、ほんとに喋れないんですから」

「親がそんなふうに諦めちゃいけないな。喋らせるように持っていかないと、一生喋れなくなるぞ」

清兵衛は、少し執拗《しつよう》な感じで言った。

「さ、おとうちゃんと言ってみなさい。おじさんでもいいよ。おじさんと言ってみな、え？」

「急にそう言っても駄目ですよ」

おすまがそう言ったとき、不意におようが言った。

「いや」

「あら」

おすまは一瞬茫然《ぼうぜん》とした顔になった。それから跪《ひざまず》くと、激しい勢いでおようを抱き寄せた。

「およう、いまあんた、なんと言ったの？」

「………」

「ね。なにがいやなの？　言ってよ、およう」

「おじさんて言うのがいや。おとうさんて言うのもいや」

およはははっきりとした声で言った。

「なおったんだわ、この子」

おすまはしっかりとおようを抱いた。

「いいのよ。いやだったら呼ばなくともいいよ。よかったね、およう」

「このおじさん、おじいちゃんを刀で突いて、血を出したからいや」

「え？」

おすまは訝《いぶか》しそうにおようの顔をみ、それから鋭く清兵衛の顔を見た。清兵衛はむっつりした顔で、子供をみている。

「おじいちゃんが寝てから、おじさんが黒い戸に入って行ったの」

あ、とおすまは口を開き、おようを抱いたまま立ち上がっていた。おようが何を言っているかが、はっきりわかったのである。おようの言うことが、そのまま信じられた。こうして口をきいているのが、その証《あか》しだった。

「何を言ってるのかね、この子は。何も喋らないと言ったが、ずいぶん喋るじゃないかね。喋り過ぎるほどだ」

清兵衛が言った。だが、その顔に浮かんでいる笑いは、みるみる歪《ゆが》んだ。立ち塞《ふさ》がるように前に立つ清兵衛を、おすまはおようを抱いたまま、夢中で突きのけて入口に走った。後から袖《そで》を摑《つか》まれたが、袖が裂ける音がしただけで擦り抜けた。外に走り出すと、おすまは夢中で走った。歩いている人が驚いて見送ったが、眼に入らなかった。首筋を摑まれるような恐怖が、まだおすまをおびやかしている。清兵衛の正体が、やっと見えた、と思っていた。

「お魚見に行こうか、およう」

「うん」

おすまはおようを連れて、長屋を出ると、表の掘割に行った。町をさわやかな風が吹き抜け、そのたびに、堀脇《ほりわき》に植えてある柳が、葉をひるがえし、日の光をこぼしていた。堀の水面にさざ波が立つのを、おすまはのぞきこんだ。その底に、白い腹をひるがえす魚の影がみえた。

「およう、見えるかい？」

「見える」

とおようは言った。大川のそばにある石原橋の上に、町の子供たちが群れている。

親たちは、水に落ちるのを心配して、橋で遊ぶなと言うのだが、子供たちはその場所が気に入っているのである。

「あそこで、遊んでくるかい？」

「うん」

おようは、すぐに駆け出して行った。おようは喋るようになってから、子供たちとも遊ぶ子に変った。その後姿を見送って、おすまは微笑した。

清兵衛は、妻子を置いて逃げ出そうとしているところを、伊平次の手で捕まった。金貸しの島右衛門は、磧運寺の隣に住む旗本に金を貸していた。清兵衛も、同じ屋敷に出入りしていて、顔見知りだった。あの日、清兵衛は、島右衛門が三百両という大金を取立てた場所に行き合わせたのである。

清兵衛は、小梅の方にある賭場《とば》に出入りしていて、店の商売にひびくほど金に窮していた。島右衛門が三百両を受け取るのをみて、即座に心を決めたのであった。清兵衛は、金を借りたいから荒井町の小料理屋まで一緒してくれと言い、こちらが近道だと島右衛門を潜戸《くぐりど》から雑木林に誘い、殺した。金を奪うと、また潜戸を通って、屋敷の中に戻って、今度は門から出たのである。そういうことが、伊平次の調べでわかった。清兵衛は、むろん、おように見られていたことに気づいていなかった。

——おようが、まともな子供に戻ってくれただけで、しあわせだと思わなくちゃ。

おすまは、橋の上で、ほかの子供たちと走り回っているおようを見ながらそう思った。

「おすまさん」

不意に後から名前を呼ばれた。振りかえると、吉蔵が立っていた。

「あら」

「よかった。ここで会えて」

吉蔵は懐《ふところ》から手拭《てぬぐ》いを出した。急いできたらしく、首筋まで汗が垂れているのを、吉蔵は武骨な手つきでぬぐった。

「何か用なの」

おすまは冷たい口をきいた。男ならもうたくさんだという気がしていた。男にかかわり合うとろくなことがなかった。おようと二人食べて行くだけなら、べつに男と寝ることもないのだ。

「用て言われても困るけど」

吉蔵はうつむいた。大きな身体を縮めるようにしている。が、吉蔵はすぐに顔をあげた。

「やっぱり、あんたが忘れられなくてね。なんとかして一緒になれねえものかと、その相談にきたんだが」

「………」

「厚かましい話だが、俺も今度は決心したんだよ。その、英助という男にも会って話をつけようと思ってね。金も、少しばかりだが用意した」

「いくら？」

「二両だが」

おすまは笑い出した。あっけにとられている吉蔵の前で、おすまは笑いつづけ、こんなに腹の底から笑ったのは、何年ぶりだろうと思った。

「少ないかね」

「いいのよ、その心配ならもういらないの。有難う、吉蔵さん」

とおすまは言った。すると不意に眼がしらが熱くなった。一度諦《あきら》めた、人並みの暮らしが、臆病《おくびょう》な足どりで戻ってくる気配に、心を刺されたのだった。

「相談に乗ってくれるか」

「あたしはいいわ。あの子が、いやと言わなければ」

橋の方から駆けてくるおようを指さしながら、おすまはそう言った。

狂気

一

男ははじめ、その子を哀れとみて、足をとめて見ていたのである。

六つか七つぐらいに見える女の子だった。男が立っている新高橋《しんたかばし》の上から、その子と連れの母親が諍《いさか》っているのが見えた。声は切れぎれにしか聞こえないが、言うことを聞かない子供に、母親が手を焼いている様子はわかった。そして母親に投げつける悪態の声が調子をはずれていることから、その子の知恵が遅れていることもわかった。

母親が手を引っぱるのに、子供は地面に尻《しり》をつけて、そこを動くまいと頑張っていた。地面に尻をつけたまま、子供は一間ほど引きずられたが、母親はそこで本当に怒ってしまったようだった。手を放すと、小名木《おなぎ》川の岸を、ずんずん背をむけて遠ざかった。

日が落ちるところで、小名木川の水が赤く染まっている。その光の中を、怒り狂って遠ざかる母親の背に哀《かな》しみがあった。そうして置き去りにすれば、子供が後を追ってくるだろうと、母親は思ったかも知れなかった。

だが子供には、子供の世界があるようだった。女の子は立ち上がると、ひとしきり母親の後姿に悪態をついたが、姿が見えなくなるとけろりとして歌を唄《うた》いはじめた。唄いながら、川岸の芒《すすき》に手をのばして、穂を摘んだりしている。芒の穂も日に染まっていた。

男は危くて見ていられなかった。川に滑り落ちたらそれきりである。小名木川の岸には人影が見えなかった。男の背後を、時おり人が通りすぎるが、誰も遊んでいる女の子に眼をむける者はいなかった。足音はいそがしく通りすぎる。始終を見ていたのは、男だけだった。

男は橋を降りると、女の子のそばに行った。橋の上で見たときより大柄な子供だった。顔にあどけなさが残っている。男が近づくと、女の子はくるりと振りむいて男を見た。三白眼めいたきつい眼が男を見上げている。

「おっかさんが心配してるよ。帰らないとだめじゃないか」

「………」

女の子は黙って男を見つめたが、不意にはげしくかぶりを振った。顔に憎悪《ぞうお》の表情が現われている。子供には子供の、母親に対する憤懣《ふんまん》があるらしかった。

「それに、もう少しで暗くなる。な？」

男は江戸の町の上に、くっつきそうに低く垂れ下がっている赤い日を指さした。

「日が暮れると人攫《ひとさら》いが出てくるぞ。攫われて家《うち》へ帰れなくなったらどうする。おっかさんが泣くぞ」

「………」

「第一こんなところで遊んでちゃいけません。川に落ちたらどうするね。誰も助けてはくれんぞ」

女の子は口を開いて聞いていたが、男が喋《しゃべ》り終わると、待っていたようにかぶりを振った。男は腰を折って女の子のそばにしゃがんだ。

「あんたにいいものをあげよう。だからおとなしく家に帰りな」

男は懐《ふところ》から財布を出した。だが女の子の顔を眺めながら、小首をかしげてその財布をしまうと、次には腰から煙草《たばこ》入れを抜きとって、膝《ひざ》の上で根付けをほどいた。女の子が、男の手もとをのぞき込んでいる。飴色《あめいろ》に使いこんだ根付けには、おかめの面が彫ってあった。

わかったな。早く帰りなと言って、男は子供の手に根付けを握らせると、小さな背を押した。掌《てのひら》をあけて、根付けをのぞき込んでいる子供を残して、男はそこを離れた。

扇橋町の角を曲ろうとして、男が振りむいたとき、女の子は道の真中で、まだ掌の口をのぞきこんでいたのである。だが、亥《い》の堀川沿いに木場の方にむかっていた男が、川向うが石島町と末広町の境目になるあたりまできたとき、背後に小さな足音を聞いた。振りむくと、女の子が跟《つ》いてきていた。

立ち止まると、男は困惑した表情で女の子を眺めおろした。女の子は口を開けて男をみている。

「どうした?」

男は噛《か》んでふくめる口調で言った。

「あんたには、日が暮れるのがわからんのかな。ほら、あれを見なさい」

「………」

「暗くなってきて、あの家ではもう灯をともしている」

男が指さした対岸の末広町の家々は、うっすらと夕映えに染まっていたが、もう灯をともしている窓が幾つか見えた。秋の日は、日が落ちると、あっという間に暮れ急ぐのだ。男と女の子が立っている川べりの道にも、白っぽい暮色がおしよせ、川の流れは空の色を映したまま黝《くろ》ずんでいた。

「帰らんと、親が心配するぞ」

だが女の子は、不意に身をひるがえして男の脇《わき》をすり抜けると、前に走った。そして立ち止まって男が歩いてくるのを待っている。

──困った。

あんなものをやったのが、かえって悪かったかも知れないと男は思った。店まで連れて行って住居《すまい》を聞き出してから、誰かに送りとどけさせるしかあるまい。漸《ようや》くそう決心して男は歩き出した。

男の二、三間先を、女の子は歩いている。男が近づくと、ぱっと走って距離をあける。そして時どき男を振り返って見る。そういうところが、二つ、三つ知恵が遅れている感じがした。あの母親が心配しているだろうと男は思った。

不意に女の子が川べりにしゃがんだ。男が近づいてみると、女の子は尻をまくって勢いよく小便をしているのだった。真白な尻が丸出しで、男は思わず声を立てて笑った。笑っている男を、女の子は首をねじって見上げている。

「おや、そこ、どうしたね?」

男は女の子の内腿《うちもも》に、黒いものがこびりついているのを見て言った。男がそう言ったとき、女の子が裾《すそ》をおろして立ち上がってきたので、黒いものは隠れたが、それは血のように見えた。

「どれ、いまのところを見せてごらん」

男はしゃがんで、女の子の前をひろげた。白い下腹とひろがった二本の脚があらわれた。ぽってりと肉づきのいい脚だった。のぞいてみると、内腿に流れているのはやはり血だった。さっき母親に地面を引きずられたとき、切ったらしい傷口があり、血はそこから流れて内腿を染め、半ば乾いていた。

「痛くはないのか」

男は裾を閉じて言った。女の子がかぶりを振った。

そのとき男は身体《からだ》の中に、久しく死んでいたある感触が甦《よみがえ》るのを感じた。男は女の子をじっと眺めた。それからその感触をもたらしたものを確かめるように、無言でもう一度女の子の裾を開いた。女の子は黙って、されるままになっている。

白い下腹とぽってりとした腿の間に、小さな貝を伏せたような秘部がのぞいていた。その間に、感触ははっきりとした形になった。そのものは、男の股間《こかん》に位置を占め、そこで息苦しいほど大きく膨らみ固くなろうとしていた。世界がくらりとひっくり返るのを感じ、男は喜びに貫かれていた。

男の耳に女の声が聞こえている。やっぱり無理なんでしょ？　無理なさらないで、休みましょ、ね？　女の声はいたわりをこめてそう言っていた。そう言っているのは、男の連れ合いだった。男より十歳年下の連れ合いの身体は、女の成熟をとどめて横たわっている。

そう言われるとき、男が無言だったのは、連れ合いのまだ滑らかな肌が持つ火照《ほて》りを、消してやれない不甲斐《ふがい》なさを恥じていたのではない。男はそのとき、闇《やみ》の中に蹲《うずくま》っている老いと、凝然と顔を突きあわせていたのだった。そうなってから、一年経《た》つ。

股間にある力強い感触が消え失《う》せるのを恐れるように、男はそっと立ち上がった。そして道の前後を窺《うかが》った。白い薄闇が占める路上には、二人のほかに人影はなかった。

「さ、行こうか」

男は女の子の手を引いて乾いた声で言った。男は大栄橋まで行くと、十万坪の草地の方に足を向けた。暗い川を、二人は渡った。

二

二人の町役人につき添われて、急ぎ足に原っぱに入ってきた女は、枯草の上に横たわっている粗蓆《あらむしろ》の小さな盛り上がりをみると、そこに棒立ちになった。

「あれが、大工の女房です。もっともいまは亭主に死なれてひとりですが……」

と岡っ引の伊勢次が囁《ささや》いた。定町回《じょうまちまわ》り同心塚原主計《かずえ》は、そう言われて女を振り返ると、気さくな声をかけた。

「ここへ来て、ちょっと覗《のぞ》いてくれねえか」

女はおずおずと近づいてきた。青ざめて、腫《は》れぼったい眼をしているのは、昨夜寝ていないためだろう。

「これだ」

塚原はぱっと蓆をめくった。一瞬女は顔をそむけるようなしぐさをしたが、すぐに眼を小さな死体に戻した。崩れるように、女は死体の脇に膝をついた。

「お前さんの子かね」

「はい」

女は顔をあげて塚原を見た。眼にはいっぱい涙が溢《あふ》れ、唇は半ば開いて激しく震えている。その顔で、女は伊勢次を見、少し離れて後にいる海辺《うみべ》大工町《だいくちょう》と石島町の町役人を見た。それからわっと泣き出して子供の死体に取りすがった。

「おつる、かわいそうに、誰がこんなことを……」

女はきれぎれに、呻《うめ》くように言葉をつないだ。手をのばして女の子の肩を抱き、髪を撫《な》でる。その間にも、女は獣じみた号泣の声を絞ってやめなかった。秋の明るい日《ひ》射《ざ》しが、その場の悲惨な光景を照らしつづけている。

塚原は女の泣きやむのを辛抱強く待っていた。塚原は四十五で、父親の跡を継いでから、もう二十年近くも定町回りを勤めている。こういう愁嘆場には、これまで何度もつき合ってきている。泣くのはいまのように母親であったり、男であったり、子供であったり、老人であったりした。そしてもっとも悲嘆が激しいのは、子を喪《うしな》った母親の場合だということも知っている。

女は泣きやんだ。草の上に坐《すわ》りこんで、膝に手を置いたまま、茫然《ぼうぜん》と死んだ子の顔を眺めている。

「ちょっと聞きたいのだが。いいかね」

と塚原は言った。女は無表情に塚原をみ、黙ってうなずいた。眼が真赤になっている。そそけ立った髪が、微《かす》かな風に揺れ動いた。

「これを見てくれ」

塚原は掌の上に乗せた、おかめの面の根付けを、女に見せた。

「この子は、手にこれを握っていたんだがね。見覚えのある品かい？」

「…………」

女は一瞥《いちべつ》しただけで首を振った。

「そうか。知らんか。じゃ、もうひとつ。お前さんは昨日の夕方、新高橋のそばでこの子を置き去りにしたそうだが……」

「置き去りにしたんじゃありません」

と女は言った。声は泣き声を絞ったために、低く涸《か》れている。

「すぐに戻ったんです。でも、そのときはもう、この子はいなかったんです」

「よし、わかった。置き去りにしたんじゃないが、お前さんは子供をそこにおいて一たん離れた。そのときにだ、そのあたりに、怪しい男を見かけなかったかね」

女は塚原を見たが、その顔には途方にくれたような表情がある。

「そのときのことを思い出してみるんだ。別に怪しくなくともいい。そのとき、誰かそのへんに人がいなかったかね」

女はしばらくうつむいて考えこんだが、やがて諦《あきら》めたように首を振った。

「ふむ。それもわからん、と」

塚原は立ち上がろうとしたが、思い直したようにもう一度女のそばにしゃがんだ。

「このあたり、ということは、つまりそこの石原町とか、川向うの島崎町のあたりということだが、そのへんに知り合いはないんだな？」

「はい」

と女がうなずいた。塚原はそれで立ち上がった。少し離れて立っている町役人たちに近づくと、小さい声で言った。

「ごくろうだが、後は始末してくれ」

塚原が伊勢次を連れて原っぱを出ようとしたとき、女が「旦那《だんな》」と呼んだ。塚原が振りむくと、立ち上がった女が、光る眼で塚原を見つめていた。

「この子を、こんなふうにしたのは、誰なんですか？」

「これから、それを調べに行くところだ」

塚原が言うと、女は深く頭を下げた。原っぱに入ってきたときの勢いが失せて、身体がひと回り小さくなったように見えた。

「不しあわせな人間というものは、いるもんですなあ、旦那」

大栄橋を渡って、亥の堀川の河岸道に戻ると、伊勢次がそう言った。

「あの嬶《かかあ》は、少し離れたところですが、同じ町内でござんすから、噂《うわさ》を聞いていましてね。病気の亭主に死なれたのが二年ほど前です。それで、あの子を育てるために、真黒になって日雇いをしていたそうですがね。今度は子供を殺されちまった」

伊勢次は海辺大工町裏町に住んでいる。女房が髪結をしていて、そういう町内の噂はよく耳に入るらしかった。伊勢次は三十一だが、子供が三人もいる。口ぶりには、さっき見た母親の悲嘆ぶりが、かなりこたえた様子があった。

「子供は少うし頭が弱かったらしゅうござんすが、そういう子ほど、親にとっては不《ふ》愍《びん》でかわいいもんでしょうからね」

「うむ」

塚原は別のことを考えている顔つきで生返事をしたが、ふと気づいたように伊勢次を見た。

「あの子は頭が弱かったのか。それは聞いてなかったぞ」

「あ。申しあげませんでしたか。そいつはうっかりしました」

二人は小名木川のほとり、新高橋のそばまで来た。二人は自身番がある町角を、川岸に沿って西に曲った。

「このあたりだと言ったな」

「へ。さようでございます」

昨夜伊勢次は、おしかという名のさっきの女房と一緒に、子供を置き去りにしたというこの場所まで来ている。おしかは腹立ちにまかせて町の入口まで帰ってきたが、すぐに心配になって戻った。だが子供の姿が見えないので、薄暮の道を半狂乱で探し回った末に、町に戻ると伊勢次の家に駆けこんだのであった。

伊勢次はおしかと一緒に、提灯《ちょうちん》をかかげて小名木川の岸を探し、さらに亥の堀川の岸を大栄橋まで照らして回ったが、子供は見つからなかった。子供の死体は、今朝になって、原っぱの先の千田新田の百姓が通りかかって見つけたのである。

「橋番が、母親と子供が喧嘩《けんか》をしているのを見たと言ったな」

「はい」

塚原は振りむいて扇橋の橋詰にある番所をじっと見た。

「だが、男が子供を連れ去るようなところは見ていない、と」

「そう言ってました」

「どうもそのへんが腑《ふ》に落ちねえな」

塚原は首をかしげた。

「母親はじきに戻ってきたが、そのときには子供がいなかったと。ということは、母子が言い争っているところを誰かが見ていて、娘の頭の弱いところもわかっていた。それですばやく連れて行ったとしか思えねえ。餌《えさ》はこれだろうな」

塚原は手に握っていた、おかめの面の根付けを伊勢次に見せた。細い眼を垂れ、朱で彩色してある唇を吊《つ》り上げて笑っている小さな面が、伊勢次には無気味に見えた。

「ところが、母親も、怪しい奴《やつ》はいなかったと言っている」

塚原はきょろきょろとあたりを見回した。

「旦那、野郎がいたとすると、あそこじゃありませんかね」

不意に伊勢次が橋を指さした。新高橋の方である。新高橋は橋袂《はしだもと》に石を積みあげて架けた橋で、道からみるとそのあたりの家の屋根ぐらいの高い場所を、小名木川を横切って渡っている。塚原はうなずいた。

「ふむ」

なるほどあそこなら、誰かがみていても、橋番所の者も、母親も気づかなかったかも知れない、と塚原は思った。男は、母親が怒って立ち去るのを見とどけて、橋を降りて来たのか。だがそいつはどんな男だ? 塚原は、男に弄《いじ》られた痕跡《こんせき》を残していた、小さな死体を思い出していた。伊勢次も同じようなことを考えたらしく、こう言った。

「いったいどんな野郎ですかね。あそこから見ていた奴というのは」

「そいつはわからねえが、奴にも手抜かりがあった。これだ」

塚原は、もう一度掌《てのひら》をひろげて根付けを見せた。塚原は面をひっくりかえした。

「これはなかなかの細工物だ。それも天道干《てんとうぼ》しの店で売っているような骨董《こっとう》のものじゃなくて、使っているわりには新しいと思わねえか。それで朝からひっくり返しひっくり返し眺めていたんだが、やっと見つけた」

塚原は面の裏側の一点をつついた。

「ここに彫ってあるのは、秀とは読めねえかな」

「旦那、あっしは読み書きは苦手で」

「そうか。どうも秀と読める」

「それが、こいつを作った根付師の名前ですかい」

「そうらしい。秀蔵というのか、秀三郎というのか。とにかくそういう名前の男が彫ったとみて間違いあるまい」

「承知いたしやした。その男を探しましょう」

「この界隈《かいわい》から探してみてくれ。人手がいるだろうから、後で金をやろう」

塚原は言い、橋番所の方に歩き出した。

「彫った男がわかれば、案外買った奴がわかるかも知れねえ。注文して作らせたとすれば、しめたものだ」

「さいでござんすな」

「ところで橋番人にもちょっとくわしく聞いてみよう。前にも子供がいたずらされたなどということが、このあたりであったかも知れねえからな」

三

五日目に、伊勢次は根付師と、根付師の口から聞いたおかめの面の根付けの持主の名を突きとめてきた。根付師は小名木川の北にある深川富川町にいた。萬蔵という名の年寄だったが、秀一というのが屋号で、看板にもそう書いていた。

萬蔵は根付師としてはかなり名を知られていて、その腕を見込んで、身の回りに凝る者が、わざわざ遠くから頼みにくるほどだった。おかめの面の根付けは、木場の山本町にある材木問屋の主人大倉屋新兵衛の注文で作ったと言った。

「どうもおかしなぐあいになって来ましたがね」

仲町と呼ばれる高橋ぎわにある海辺大工町の自身番で、塚原と向かい合うと、伊勢次は腑に落ちない表情で言った。

「ぴんと来ねえわけだな」

「そりゃそうでさ、旦那。大倉屋というのはあのあたりじゃ聞こえた分限者《ぶげんしゃ》で、新兵衛という旦那は五十半ばといった年配ですぜ。あんな子供にいたずらしたとは考えられませんがね」

「まわりの評判はどうだね？」

「一応聞いて回りましたが、その評判がまたいいんでさ。商売は繁昌《はんじょう》してますが、あこぎな噂《うわさ》を聞くわけでもないし、新兵衛という人もおかみさんもよく出来た人で、夫婦仲のよさは人もうらやむほどだそうです。町の者も、店の者もそう言ってますがね」

「………」

「ただ子供がないのが玉に瑕《きず》で、五年前に同業の家から養子をもらっていますな。栄三郎というのがそれで、おとなしくて商売熱心で……」

「その男も言うことなしかね、いくつになるかね、その養子は」

「二十三だそうです。来年中には嫁をもらいたいという話が出ているそうです」

「………」

「どうも旦那。その根付けのことはお目がね違いじゃないかと思いますがね」

「それじゃ聞くが、これが死んだ子供の手の中にあったのはどういうわけだね？」

「………」

伊勢次は口を閉じた。困惑したように塚原を見たが、それでも伊勢次の眼には、塚原の疑いに承服していないいろがある。

「一度ここへ呼んでみようじゃないか。こっそりとな。一応は本人に聞きただすものだろうぜ、伊勢次」

「それは、ま、そうかも知れませんが」

伊勢次はしぶしぶといった感じでうなずいた。

新兵衛が、伊勢次にともなわれて仲町の自身番に来たのは、その日の夕刻だった。仲町の自身番は、間口二間奥行き五間半と奥に長い。書役《かきやく》の治助は用があるとかで先に帰って、上がり框《がまち》に近い机のそばで、家主の長左衛門と店番の源六が、なにか小さい声で話している。

塚原は入ってきた二人を見ると、奥から大きな声をかけた。

「やあ大倉屋さん。いそがしいところを呼び立てて済まんな。ずっとこっちに入ってくれ」

新兵衛はゆっくり畳に上がってきた。大柄で髪が白く、大店《おおだな》の主《あるじ》らしい品のいい顔をしている。着ている物もぜいたくに見えた。姿勢よく坐《すわ》ると、膝《ひざ》に手を置いてじっと塚原を見た。

「商いの方はどうだね」

と塚原は言った。

「はい。おかげさまでにぎやかにやっておりますが……」

新兵衛はにこやかに言った。

「今日は何か、ご用ですか」

「うむ。ちょっと聞きてえことがあってな」

塚原は懐《ふところ》からおかめの面の根付けを出すと、無造作に畳の上に置いた。

「これだ。あんたに見覚えがねえかと思ってな」

「…………」

新兵衛は、根付けをじっとみた。それから、拝見してもいいかと言った。塚原がうなずくと、新兵衛は根付けをとって面を裏返してみた。塚原は黙って新兵衛を見ている。

「これは私の根付けです」

そっと畳に根付けを戻した新兵衛がそう言った。微笑していた。

「この品は私が先日、道で落としたものですが、どうしてこちらさまの手に入ったものでございましょう」

「落とした？　それはいつのことかな」

「さようでございます……」

新兵衛は天井を見上げた。

「五、六日前です。浅草の方へ参りまして、そこで同業の店に寄って商いの話を済ませまして、観音さまにお参りをいたしました。その帰りにどこかで落ちたようでございましてな。前から紐《ひも》が傷《いた》んでおりましたから」

「気がついたのは、家に帰ってからかね」

「いいえ、途中で、そうそ新高橋にかかるあたりで、腰から煙草《たばこ》入れが落っこって来まして、それで気づきました」

「十万坪のところで、女の子が殺されたことを聞いてるかな」

と塚原が言った。突然な言い方だった。

「はい、聞いております。恐ろしいことでございます」

「あんたが、こいつを落としたというのは、その日のことじゃねえのかい」

「思い出しました。確かにあの日のことでございます」

「いつごろかね。落としたのは」

「さあーて、浅草から帰る途中でございますから、夕方近かったのではなかろうかと思いますが、はっきりはしません。それが、なにか」

「子供が、この根付けを持っていたんだがね」

塚原は注意深く新兵衛の顔を見たが、新兵衛は溜息《ためいき》をついただけだった。

「その子供が、これを拾ったものでございますかな？」

「そうかと思うが、殺した奴が拾ったのかも知れねえな」

塚原は言ったが、急に興味を失ったように質問を打ち切った。

「やあご苦労かけた。聞きたかったのはそのことでな。もう引きとっていいぞ」

新兵衛を帰すと、それまで黙っていた伊勢次がにじり寄ってきた。

「いかがですか、旦那《だんな》」

と伊勢次は言った。

「べつに怪しげなところは、ござんせんでしょう」

「そうとも言えんな」

と塚原は言った。

「あの男は、子供が殺されたのが、見つかった日でなくて前の日だと知っていたぜ」

「なんです？　どういうことですか」

「普通の人間はな。死体が見つかった日を殺された日と考えているものだろうが。まして奉行所や町役人が、実は殺されたのは前の晩だと触れて歩いたわけじゃあるまい。しかし殺した人間なら、そこを間違えるようなことはないわけだ。そいつの頭の中には、殺したときの様子がしまわれているからだな」

「………」

「それで、ちょいと鎌《かま》をかけて見たんだが、大倉屋はなんと、ちゃんと殺しがあったのは、前の晩だと、はっきりそういうつもりで話していたぜ」

「しかし旦那。まさか、あの人が……」

「岡っ引らしくねえ言い方だぜ、伊勢次」

塚原はたしなめたが、自分も首をかしげた。

「むろん、それだけで犯人だと引っぱるわけにはいかねえな。根付けは落としたもんだ、とがんばられたらそれまでだ。それに事実落としたものかも知れねえ。俺だってそう思いたくなるぐらいだ。あの人柄を見るとな」

塚原は手まねぎして、伊勢次を近くに寄せた。家主の長左衛門が、こちらに聞き耳を立てている様子に気づいたのである。

塚原は囁《ささや》いた。

「ともかく、あの立派な旦那から、眼を離さずに跟《つ》けてみろ。もしあの殺しが、旦那のしたことだとすると、また同じことをやる心配がある」

四

三十三間堂の東仲町に、目立たない待合茶屋がある。最初に若い男がそこから出、しばらくして四十過ぎの女が出てきた。日暮れ前の静けさがあたりを占めていて、人通りは少なかった。誰もこの二人を注意して見る者はいないようだった。若い男は宮川町の家混みに紛れ、女は永居橋にむかうと、下駄《げた》の音をさせて橋を渡った。

地上は白っぽい光に包まれているが、空はまだ明るかった。空の北の方に、雲がひとつじっと動かずにとまっている。雲はまだ縁を赤く染めていた。その空の下を、女の姿はみるみる北に遠ざかった。

新兵衛はその後姿をじっと見つめ、姿が見えなくなると、ゆっくり歩き出した。女は連れ合いのお房で、先に出た若い男は、養子の栄三郎だった。

二人がいつからそんなふうな間柄になったのか、新兵衛には見当がつかない。今日お房が外に出るとき、その言い訳に不審を持って後を跟ける気になったのも、ただの思いつきに過ぎない。それほど深い疑いを持っていたわけではなかった。まして相手が栄三郎だなどということは考えもしなかったことである。

しかしお房にまったく疑いを持っていなかったかといえば、そうも言えない気もした。そう思わせたものがあるとすれば、それはお房の優しさだろうと、新兵衛は思う。新兵衛の耳に、お房の声が甦《よみがえ》る。無理しなくともいいのよ。仕方ないことだものね。

新兵衛は、入船《いりふね》町から、島田町にわたり、さらに木場に渡った。ゆっくり歩いた。べつにいそぐことはないのだ。今夜は寄合いがあって遅くなると言ってある。

不思議なことに、新兵衛の心の中にあるのは、嫉妬《しっと》ではなかった。それどころか、心の片隅に、どこかほっとした気分さえある。栄三郎とあんなふうになっているのは困りものだが、お房のなかにまだ残っているはなやぎを、いたわってやりたい気持があった。

——それが当然なのだ。

新兵衛はうつむいて歩きながら、そう思った。時をかけて、それとなく諌《いさ》めるしかない。

不意に子供たちの歓声が、新兵衛を驚かせた。見ると木場から扇町の方に、十人ほどの子供が橋を渡って駆けて行くところだった。子供たちは、男の子も女の子も、手に手に竹や棒を握っていた。家から遠く離れた、こんなところまで、遊びに来ていたらしかった。

新兵衛は子供たちの後を、ゆっくり橋を渡った。このあたりは、人家よりも草地の方が多い。枯れ草の原のあちこちに、材木を山のように積んだ材木置場があり、掘割も木で埋まっている。

そして、ところどころに大きな構えの家があった。大方は大倉屋と同じ材木屋で、まだ灯をともしていない家が、薄闇《うすやみ》の中に獣のように蹲《うずくま》っている。

「おや、どうしたね、お嬢ちゃん」

吉永町に渡る要橋《かなめばし》の手前で、新兵衛は声をかけた。女の子が一人、橋の欄干に顔を伏せて泣いている。五つぐらいの子供だった。

吉永町の河岸で、子供たちの歓声が聞こえた。女の子は小さくて、走り去る子供たちについて行けず、取り残されたらしかった。女の子は新兵衛の声に、ふり仰ぐといそいで両手で顔の涙をぬぐった。

「家《うち》はどこだね。おじいちゃんが送ってあげよう」

「あっち」

女の子は吉永町の方を指さした。新兵衛は女の子の前にしゃがんで、笑顔をつくった。眼が黒ぐろとして、頰のふくらんだ娘だった。恐れ気もなく新兵衛を見つめている。

笑いかけながら、新兵衛は娘の肩に手を置いた。小さな肉の手応《てごた》えと温かみが伝わってきた。そのとき、新兵衛の身体《からだ》の中で、なにかが動いた。なにかはそのままゆっくり動き続けている。それは新兵衛の中で、とうに死に絶えた筈《はず》の感触だった。そうじゃない、と新兵衛は思った。

――いつだったか、同じようなことがあった。それも、この間のことだ。あれはいつだったか。

ごくりと、新兵衛は喉《のど》を鳴らした。それから乾いた声で言った。

「心配することはない。わしが連れて行ってやる」

新兵衛は、女の子を抱き上げた。いい匂《にお》いと柔らかく、小さい感触が、新兵衛を包みこむようだった。世界が、くらりとひっくり返った。新兵衛の身体を喜びが貫き走った。

「あっち」

と女の子が叫んだ。よし、よしと言って新兵衛は少しずつ橋を離れると、扇町の草地の方に引き返した。女の子が暴れて、新兵衛の顔をこぶしで打った。その痛みが新兵衛には快かった。喜びで身体中の血が若わかしくざわめいた。

「おい」

不意に薄闇の中から、声がした。新兵衛が顔を上げると、男が二人立っていた。岡っ引の伊勢次と、もう一人は塚原という奉行所の同心だった。

「邪魔するな」

新兵衛は怒号した。戻ってきた懐《なつか》しいものが、二人の男の出現で、消え去ろうとする感触に苛立《いらだ》っていた。

二人の男が、交互に何か言った。鋭い声音《こわね》だったが、新兵衛はその声を聞かなかった。いきなり子供を抱いたまま走り出した。泣きわめく子供の声がしている。そしてどこまで走っても、後からぴったり足音が跟いてくる。それでも新兵衛は走りやめなかった。まださっき戻ってきたものの影を追っていた。走りやめれば、それが二度と戻って来ないことを感じていた。

荒れ野

一

若い僧が一人、荒野を旅していた。疲れ切っていた。

僧は京のさる寺で修行中のところを、師の僧に命じられて、陸奥国《むつのくに》新田郡の小松寺という寺に行こうとしていた。長い旅に、衣は色褪《いろあ》せ、顔も手足も黒く日焼けして汚れ、頬は窶《やつ》れて鋭い相貌《そうぼう》になっていた。

僧は立ち止まって行手を見た。枯れた芒《すすき》や蓬《よもぎ》の野の、はるかかなたに、長大な壁のように連なる山々が見えた。山は頂きのあたりは灰色に落葉し、麓《ふもと》は紅葉して赤く見える。

——あの山を越えれば、陸奥です。

昼前道で一緒になった男はそう言ったのだが、途中の村里に行く男と別れて半日歩いたのに、それで少しでも山に近づいたとは思われなかった。山は同じ形で、晴れた秋空の下の方に、うねるような稜線《りょうせん》を見せて、東から西に連なっている。

歩いても歩いても野原だった。男と別れるとき、男が住む村里だという、一塊りの村落を遠く右手の方に見たのが最後で、人家も見ず、人にも会わなかった。野は時には背丈を隠す芒の原になったり、その原を抜けると、草が痩《や》せ、赤土が露出する平地に出たり、また歩いていると落葉の音がする深い雑木林に入ったりした。だが、どこまで歩いても野原だった。時どき空に鷹《たか》が現われて、僧を見定めるように頭上を舞い、またどこかに飛び去った。

ただ、一本の道が続いていた。道連れになった髭面《ひげづら》の男が言ったことに間違いがなければ、その道を休まずに歩いて行けば、陸奥国に着くはずだった。

白い穂が、日に光る芒の原を抜けて、若い僧はまた平地に出ていた。そして暫《しば》く歩いたとき、若い僧の足がとまった。道はそこで二手に別れていた。右手に行く道は、その先の雑木林の中に隠れ、左手の道は平地を横切ってゆるやかな勾配《こうばい》の丘を這《は》いあがり、粗《あら》い枯草に覆《おお》われたその頂きで消えている。

枯草の上に長い影を落としながら、僧はしばらく立ち止まって思案した。どちらも同じほどの道幅の粗末な道だった。人の跡も、馬の足跡もなかった。

決心して僧は左手の、ゆるやかな上りになる道を歩きはじめた。あの山を越えれば、陸奥だと言った髭面の男の言葉が頭にあった。右手の道は大きく曲って雑木林にむかっていて、そちらに行けば、山から逸《そ》れるのでないかと思われたのである。

僧はゆるやかな丘を登りつめた。そしてほっとした。そこは台地で、その先には依然として荒涼とした野が続いているものの、山は疑いなく正面に見えていた。日はとうに西に傾いていた。衰えて行く陽射《ひざ》しの中を僧は休まずに歩いた。だがどこまで歩いても野原だった。人家らしいものも見えず、人影も見あたらなかった。途中密生する枯芒の陰を疾走する野狐《のぎつね》の姿を一度見ただけである。

——今夜は野宿だな。

荒涼とした野のかなたに、火のように赤らんだ日が落ち、夕の気配が野を包んでくるのを感じながら僧はそう思った。長い旅の間に、樹《き》の陰や草の上に寝て、一夜を過ごしたことは何度かある。今日は早めに休んで、明日の朝早く歩き出せばいいと思った。

一本の太い木が目についた。近づいてみると、それは半ば葉が落ちた欅《けやき》だった。樹の下には羽毛のように落葉が折り重なり、散らばっていた。僧はその根元に倒れるように腰をおろすと、欅の粗い樹皮に上体をあずけ、足を投げ出した。投げ出すと、足はたちまち耐えがたいほど火照《ほて》ってきた。火照りの中には微《かす》かな痛みがまじっている。僧は背中から背負袋をはずしてそばに置くと、草鞋《わらじ》をぬいで足をさすった。火照りつづける足をさすりながら、若い僧は空を見上げた。日没の名残りが高い空を半ばまで赤く染めている。

野にはまだ明るみが残っているが、ひどく静かだった。いつの間にか、遠く近く聞こえていた鳥の声がやんでいる。夕闇《ゆうやみ》が訪れる前触れだった。

——野原にいるのは、わたし一人かも知れない。

そう思ったとき、若い僧の心を、軽い恐怖心が横切った。野宿には馴《な》れたつもりだったがなんといっても僧は若かった。まだ二十一だった。彼はいそいで法華経《ほけきょう》を誦《ず》しはじめた。声に出して法華経の一節を唱えていると、やがて恐怖は薄らいだ。

僧は背負袋を膝《ひざ》の上に引き上げ、手を入れて中を探った。しばらく探ったあと、不意に顔色を変えて坐《すわ》り直した。僧は坐り直して袋の中をのぞいた。その姿勢のまま、僧は思案するように首をかしげた。昨夜泊めてもらった百姓家でもらった粟飯《あわめし》がなかった。昼に二つたべ、夜のために二つ残しておいたはずの飯がなかった。

——あそこに置いて来たのだ。

僧は茫然《ぼうぜん》と顔をあげた。飯を忘れた状況がありありと甦《よみがえ》ってきたのである。連れ立った髭面の男と別れて、しばらく歩いたあと、僧は野の中を流れている小流れをみつけ、そこで汗ばんだ顔を洗い昼飯を喰った。小流れのそばには雑木があって、僧はその木陰にいっときをまどろんだのである。うとうとしたと気づいて、あわてて立ち上がって歩き出した。少しでも遠くまで歩こうと気が急《せ》いていた。残りの飯はそのとき忘れたに違いなかった。

　残された二握りの粟飯が眼に浮かんでいる。だがそれを取りに戻ることは不可能だった。飯は半日の行程の向うにある。そう思ったとき耐えがたい空腹感が襲ってきた。僧はあわてて法華経の続きを唱えたが、それはなんの効《きき》めももたらさなかっただけでなく、続いて喉《のど》の渇きが襲ってきた。僧は立ち上がってあたりを見回した。

　次いで裸足《はだし》のまま、狂気のようにそのあたりを歩き回りながら、地面を眼で探った。流れか、水溜《みずたま》りがないかと思ったのである。枯草の下に、微かな水の音を聞いたのは、欅の大木からかなり離れた場所まで来たときだった。

　若い僧は、野犬のように手で枯草を掘った。幅一尺ほどの小流れが、その下に黒く動いていた。僧は地面に腹這い、顔を流れにさし込んで冷たい水をむさぼり呑《の》んだ。

　水を呑み終わると、僧は小流れのそばに蹲《うずくま》って、また茫然と空を仰いだ。空の赤味は次第にうすれようとしていた。気がつくと仄明《ほのあ》かりは身の囲りに残っているだけで、さっきまで野のはてに見えていた遠い山も、蒼黒《あおぐろ》いものの中に姿を隠してしまっていた。

　――みほとけの罰だ。そして師の御坊の、これがご意志だ。

若い僧はそう思った。若い僧は、師の僧が八坂に囲っていた女と通じたのが露見し、師の僧と昵懇《じっこん》の小松寺の住持に預けられることになったのである。師の僧が命じるままに、若い僧は唯々《いい》として従ってここまで来たのであった。そうすることが、犯した罪業《ざいごう》から救われる、ただひとつの道だと若い僧は思っていた。旅の辛苦を厭《いと》う気持はなかった。

だが、遠いところまできたと思った。そう思ったのは初めてだった。にぎやかな京の町が思い出された。師の僧の女の、罪深い白い肌が幻のように、その間に明滅する。若い僧は首を垂れてすすり泣いた。幾分かは、またこみ上げてきた空腹感のせいでもあった。若い僧は心細さに打ちひしがれていた。

「もし」

不意に澄んだ女の声がした。僧が顔をあげると、白い日暮れの光の中に、影のように女が一人立っていた。きりっと身支度した百姓姿の女だったが、薄闇に包まれて顔はよく見えなかった。茫然と見上げている僧に、女はまた声をかけた。

「どうしましたえ？　もし」

二

「村かと思ったのですが、ここは一軒だけのようですね」
と明舜《みょうしゅん》と名乗った若い僧は言った。腹がくちくなるまで粟粥《あわがゆ》を食べ、明舜はくつろいでいた。さっきまでの心細さはすっかり消え失《う》せている。

明舜は、この家についたときの印象を言ったのである。女の後について暫く歩くと、道から少し引っこんだところにある、一軒の家に着いた。僧は村があると思ってきたので、薄闇の中に一軒だけひっそりと家がうずくまっているのを奇異に思ったのであった。

「はい。一軒だけですよ」
と女は微笑して答えた。明かりはないが、炉には火が焚《た》かれ、赤々と燃えあがる火に女の顔が浮かび上がっている。日焼けして黒い皮膚をしているが、目鼻立ちの美しい女だった。眼尻《めじり》の切れが深く、それが女を幾分勝気に見せているが、言葉は柔らかだった。年は三十前のように見える。

「でも、これから先に行くと、村もありますし、人もおりますから」

「それで、主《あるじ》どのと二人で、住んでおられる？」

「はい」

「子供はないのですか」

「はい」

女は明舜の質問に、はにかむように笑った。すると女の顔に、もっと若い表情が浮かんだ。

「主どのは猟師だと言いましたが、いつもこんなに遅いのですか」

「主は、今夜は戻りません」

と女は言った。女の言葉は、若い僧を驚かせた。

「戻らないというのは、そんなに遠くに出かけたのですか」

「昼に、遠くに山が見えましたでしょ？」

「はい」

「主はいま、あの山に入って獣を狩っています。山に雪が降るまで戻って来ません」

「すると……」

明舜は、まじまじと女を見つめた。

「それまであなたは、ずっと一人で暮らしているのですか」

「はい」

「恐ろしくはありませんか。野中の一軒家に住んで」

明舜の問いには率直な驚きが含まれている。女はちらと明舜を見ると、首を振って笑った。白い丈夫そうな歯が見えた。

その夜、明舜は部屋の隅に女が作ってくれた藁床《わらどこ》に横たわりながら、しばらく同じ家の闇の中に寝ているはずの女のことを考えた。それから八坂の、年上の女の白い肌を思い出し、あわてて心の中で法華経を誦した。だが心が落ちつきなく騒いだのはいっときのことで、すぐに昼の間の深い疲労が彼を打ち倒し、明舜はこんこんと眠った。

翌朝明舜が目ざめたとき、部屋には羽目板の隙間《すきま》から棒のような日の光が幾筋もさし込み、光の強さは、日が高くのぼったことを示していた。驚いて起き上がると、枯れ葦《あし》を敷きつめた部屋の中には誰もおらず、部屋の真中に石を積んで仕切った炉から、細い焚火の煙が立ちのぼっているだけだった。

明舜は戸を押して外に出た。眩《まぶ》しい光と、夏のように暑い空気が身体《からだ》を包んだ。風景が、くまなく見えた。そして眼に入るかぎりは、荒れた野で、そのはるかかなたにうねるように山が連なっているのは、昨日と同じだった。女は近くに村があるようなことを言ったが、それらしいものは見えなかった。

眼で女を探したが、家のまわりには女の姿はなかった。明舜は家の裏手に回った。するとそこはなだらかな窪地《くぼち》になっていて、疎《まば》らな雑木林だった。細い道がある。道を下りて行くと間もなく雑木林が切れて、そこに一間幅ぐらいの川が流れていた。川のそばに女が蹲っていて、明舜の足音に振りむくと、笑いかけた。

「お休みになれましたか、お坊さま」

「おかげさまで、ぐっすり眠りました」

明舜は言って、自分も女のそばに蹲った。女は引き抜いてきたばかりとみえる蕪菁《かぶら》を洗っていた。ほかに野葡萄《のぶどう》、あけびがひと摑《つか》みずつそばに置いてある。

「畑があるのですか」

「はい。離れたところですが」

「いまから出かけたら、今日のうちにあの山を越えられますか」

と明舜は言った。女は正面に見える遠い山に眼をやり、それから明舜の顔を見て、ゆっくり首を振った。予想したことだったが、明舜は気落ちするのを感じた。出かけるのが遅れたのだ。

昨日道連れになった髭面《ひげづら》の男は、昨日のうちにもあの山を越えられそうな口ぶりだったのだが、山にたどりつくまで、まだ何日もこの野を旅しなければならないような気がしてくる。気うとく、一方で野の広さが無気味な気もした。

女は澄んだ流れに、葡萄の一房をひたして洗うと、食べないかと明舜にさし出した。口に含むと、鋭い酸味と甘い香が口の中にひろがった。

「お急ぎの旅ですか」

と女が言った。女の眼は、優しく包むように明舜を見ている。明舜は少し赤くなって顔をそむけ、野葡萄の種を吐き出してから、いや、と首を振った。いままで、一心に小松寺に行くことだけを考えて旅してきたが、女にそう言われてみると、そんなに急いで行くこともないように思われた。小松寺の住持は、べつに首を長くして明舜がつくのを待っているわけではなかった。

「それなら、四、五日ゆっくり休んでから行かれてはどうですか」

と女が言った。女の眼には、依然として優しく明舜を包みこむような色がある。明舜はあいまいにうなずいたが、心の中では、四、五日はともかく、今日明日ぐらいは女の家に世話になって、それから出かけてもいい、と思っていた。長い旅に飽いてもいた。

食事が済むと、女は畑に行くと言って姿を消した。そのあと明舜は藁床に寝ころんだり、外を歩き回って遠い雑木林で鳴く、小鳥の声を聞いたりした。物音は小鳥の声だけで、日に照らされた野は静かだった。

そうしていると、旅の間の張りつめた気分が弛《ゆる》んで、心がのびやかに解けるのを感じた。腹もくちく身体のぐあいもいい。疲労は、まだ微《かす》かに身体のあちこちに残っているが、それは気になるほどのものではなかった。

——干肉がうまかったな。

と明舜は思った。師の僧は、明舜に肉食を禁じたが、自分は八坂の女の家に行くと、そこでこっそり小鳥の干肉を喰うことを、明舜は女に聞いていた。食事のとき、女に干肉をすすめられたとき、明舜は一度は断わったが、食べると疲れが消えます、と強いられて口にした。そしてたちまちその美味に驚嘆した。

「何の肉です？　鹿《しか》ですか」

と、そのとき明舜は聞いている。師の僧が食べるという小鳥の肉をくすねて、食べたことはあったが、その肉はそれとは味が全く違っていた。猿の肉です。主《あるじ》が山で獲《と》ったものですと、女は答えた。

その女は、日暮れが近づいても帰って来なかった。野が、一面に夕映えに包まれるころ、明舜は家を離れて、裏手の窪地に降りて行った。女を迎えに行こうと思ったのである。終日一人でいて、微かに人恋しい気分になっていた。

半ば葉が落ちた、疎らな雑木林を歩いて行くと、川のほとりに物の影が動いた。女だった。女は川の中に裸身を沈めて水浴をしている。いま畑から戻ったばかりらしかった。明舜は楢《なら》の木の陰に立ちどまって、茫然と女を見つめた。女が水から上がったとき、見事な裸身が見えた。顔は日焼けして黒いのに、女の胸から下は、かがやくばかりに白かった。その白い下腹に、一刷《ひとは》き煙るように黒い翳《かげ》りが見え、明舜は頭が痺《しび》れるのを感じた。女は明舜には気づかないようだった。岸に上がると、石の上に蹲って髪を梳《す》きはじめた。明舜は、足音を忍ばせていま来た道を戻った。

次の日も、その次の日も、明舜は旅立たなかった。そして三日目の夜、激しい嵐《あらし》が野を襲った。野は恐ろしい叫びをあげ、女の家はぎいぎいと絶えず呻《うめ》き声をあげた。夜が更《ふ》けても風雨はおさまらず、暗い野の四方に雷がとどろいた。

明舜は藁床から起き上がると、手探りで女の寝部屋に行った。女は目ざめていた。熱くしなやかな肌が、明舜を包みこんだ。

三

ある日明舜は、女の家の前を通る道を、ぶらぶらと北に向かって歩いて行った。正面にいつもの山が見えた。山は木の葉が落ちつくしたらしく、紫がかった灰色の姿を遠くに横たえている。

――そろそろ出かけなくては。

と明舜は思った。そう思うのは、今日はじめてではなかった。

女の家にきてから、あらましひと月近く経《た》っている。その間、時には心を決めて旅支度にかかったこともあったが、女がひき止めた。それを振り切らなかったのは、明舜自身女の肌に溺《おぼ》れていたからである。これにくらべたら八坂の女など、女でなかったと思うほど、女は奥深い悦楽を与える身体と、疲れを知らない淫性《いんせい》をあわせて持っていた。

営みは夜だけのことでなかった。女は昼の間、明舜がぼんやり藁床にひっくり返っていると、不意に外から現われて、明舜を誘ったりした。

そのことに、明舜は少し飽いてきていた。四肢《しし》がいつも気だるく、時には自分が病気なのではないかと思ったりするのは、そのことが過ぎるからだと思われた。そういうとき、明舜は堕地獄の無気味さをのぞいた気がする。そういう気持があり、片方に女と身体をからみあわせるだけの日々に飽いてきていながら、明舜が、まだ女の家にとどまっているのは、女の身体が、誘われれば拒めない悦楽をそなえているためだった。汗ばむと、女の身体はえも言われぬかぐわしい香を立てた。

——いっそ主が戻ってくればよい。

明舜は遠い空の下に、灰色の隆起を横たえる山を見ながらそう思った。山に雪が降れば、女の連れ合いが戻ってくるのだ。そうすれば、ふんぎりがつく。

「………?」

明舜は立ち止まった。道がそこで終わっていた。明舜はあわただしく地面を見回したが、枯草の間に蹴毬《けまり》の玉ほどもある石が、ごろごろと転がっている荒れ地がひろがっているだけだった。振りむくと、女の家が灰色の空の下に黒く小さく見えた。

「これは、陸奥に行く道ではない」

明舜は呟《つぶや》いた。すると、明舜の頭の中に、もう一本の道が浮かんできた。それは右に大きく湾曲して雑木林に消えていた道である。

明舜はあわただしくいま来た道を戻った。家まで戻り、ひっそりしている家の横を通って裏手の雑木林に出た。そこにも細い、人一人歩けるだけの道がある。それが陸奥へ行く道かも知れない、と思ったのである。

水の上に渡してある丸木を伝って、明舜は川を渡った。川を越えるのははじめてだった。向う岸はしばらく雑木林が続き、不意に明舜は広い枯野に出た。そして道は、そこで消えていた。

——あのとき、道を間違えたのだ。

と明舜は思った。考えてみれば、そのことはもっと早く気づいてよかったことだった。いくら辺鄙《へんぴ》な土地とはいえ、それが陸奥につながる道となれば、一日に一人や二人は女の家の前を通るだろうし、時には馬も通るはずだったのだ。

明舜は、はてしなくひろがっている荒れた野をみた。どこかに女の姿が見えないかと思ったが、それらしい姿は見えなかった。そのかわりに、右手の奥にひと塊りの密生した雑木林があり、その端《はず》れに人家らしいものが見えた。

そこまではずいぶん遠く見えた。だが明舜はためらいなく、その人家らしいものを目がけて歩き出した。血が騒いでいた。そこが、女が言った村かも知れないと思っていた。人に会いたいという気がしきりにした。女以外の人間に会いたかった。

野を横切って長い間歩いた末に、明舜は人家にたどりついた。思ったとおりそこは村落だった。雑木林の陰に、十軒たらずの家がかたまっている。道があり、畑があった。

だが村は異様にひっそりしていた。人の姿も見えず、声も聞こえなかった。人声だけでなかった。一切の物音が絶えていた。明舜は道端にある一軒の家の、開いたままの戸口から中をのぞいた。物の気配はなく無人だった。薄暗い家の奥に、白く光るものが見える。明舜は中に踏みこんでみた。

すると、足もとから埃《ほこり》が舞い上がった。土間に敷いた葦は朽ちはてて、踏むと乾いた音を立てて折れる。その上に厚い埃がつもっているのは、この家がはやくから無人だったことを示していた。

無人の理由は、すぐにわかった。白くおぼろに光っているのは、人の骨だった。骨は頭蓋骨《ずがいこつ》もあり、腕の骨もあり、大きいのも小さいのもあったが、ひとまとめに積み上げてある。二人分ほどの骨だった。法華経《ほけきよう》を唱えながら、明舜は尻下《しり》がりに家を出た。もう一軒には何もなく、ただ無人だったが、次の家に入ると、そこにも骨の堆積《たいせき》があった。そこまで見て明舜は道に戻った。そこは死に絶えた村だった。

無気味な思いが襲ってきたのは、村端れに出て、いまにも雨が落ちて来そうな暗い空の下に、ひっそりと寄りそっている無人の村を振りかえったときだった。そこは墓場で、家々は立ちならぶ墓だった。

——疫病《えやみ》ではない。

疫病がはやり、一村が死に絶えることは珍しいことではない。だが明舜が見たのはそういう痕跡《こんせき》ではなかった。骨はひとところに積んであり、そこで異常なことが行なわれたことを示している。盗賊の仕業かとも思ったが、それにしては殺戮《さつりく》が過ぎるという気がした。

明舜は野に戻った。野に垂れ下がった黒い雲が、西の地平に接するところで、一筋切れたように明らみ、そこに血のように赤い色が流れている。この世ならぬ土地にきて、道を踏み迷っているという、心細い気持が明舜を襲ってきた。

不意に、背後に馬蹄《ばてい》の音がひびいた。馬は一騎で、長身の武士が乗っていた。武士はみるみる馬を明舜のそばに寄せてきた。烏帽子《えぼし》の紐《ひも》を顎《あご》できつく結び、高い頬骨と、鋭く吊上《つりあ》がった眼を持つ武士だった。大きな太刀《たち》を佩《は》き、背に弓矢を背負っている。三十ぐらいの年ごろに見えた。

「やあ、ご坊」

武士は馬を近づけると、馬上のまま声をかけてきた。馬体の匂《にお》いが明舜の顔を包んだ。

「このあたりの者か」

「いえ、旅の者です。向うの……」

明舜は遠くに見える台地の方を指さした。

「猟師の家に厄介になっている者です」

「猟師？」

武士はちょっと首をかしげた。

「このあたりに獣を狩る者がいたかな。ま、それはいいが、なんでこのあたりをうろついておるな？」

「なんとなく」

「村を見たか」

「はい。恐ろしいことでございます」

「あれはこのあたりに棲《す》む鬼女の仕業じゃ」

と武士は言った。

「劫《こう》を経た婆《ばば》じゃと申す。このあたりの村の者を喰い尽くしおった。捨ておけんので、時どきこうして狩りにくるが、なかなか見つからん」

「…………」

「その猟師の家に女はいるか？」

「はい」

「婆か」

「いえ、まだ三十前の女房でございます」

「ふむ」

武士は思案するように俯《うつむ》いたが、すぐに手綱をしぼって馬の首を向きかえた。

「ここは油断ならぬ土地じゃ。ご坊も喰われぬようにいたせ」

馬に鞭《むち》をあてると、武士の姿はたちまち村の陰に入って見えなくなった。馬蹄の音だけがしばらく明舜の耳に残った。

日が落ちるまで、まだ間があると思われるのに、野は暗かった。明舜は背中がざわめくような気分に押されながら、野を台地の方に戻った。

武士の言ったことが、根も葉もない虚言《そらごと》とは思えなかった。あの無気味な白骨の堆積は、そう言われると、よく納得が行くように思われた。何者かが、殺し、肉をそぎ、骨を捨てて行ったのだ。

――猿の肉？

不意に明舜の足がとまった。そこはたどりついた川のそばだった。明舜が思い出したのは、女が毎夜のように喰わせる猿の肉だった。それは干肉だったり、塩漬けの肉だったりするが、どちらも美味だった。そしてそれを喰うと、身体《からだ》に力が溜《たま》り、あさましいほど女の身体が欲しくなるのだった。ある夜など、食事の途中、立ち上がって、女の胸を探ったことさえある。

あれは人間の肉ではないのか、と明舜は思ったのである。そう思うと、女の日頃の振舞いまで怪しく思えてきた。女は朝とも昼ともつかない食事を済ますと、畑に出かける。そして帰ってくるのは、日が落ちてからである。畑がそんなに遠いところにあるのかと思っていると、日が高いうちに突然姿を現わしたりするのも不思議だった。第一そんなに毎日出かけるほど、畑の仕事があるのだろうか。

そう思うと、女の異常なほどの寡黙《かもく》さも気になってくる。夜ごとに男に手足をからめ、よろこび悶《もだ》える女が、昼の間はほとんど明舜に口を利《き》かなかった。長く、はげしい口数を連ねるのは、明舜の旅立ちを引きとめるときぐらいだった。

連れ合いが猟師で、山に入っているというのも、疑えば疑えてくる。家の中には、猟師である証拠を示すような道具はなにひとつなく、そう考えてみると、家の中には男物の着物一枚なかったことに明舜は思いあたっていた。

明舜は身顫《みぶる》いした。西空の雲の切れ目から、暮れようとする一条の日の光が野に射《さ》しこみ、その光で川水に映った自分の顔が見えたのである。顔は頬が落ち、眼がくぼんでひどく面変《おもがわ》りしていた。明舜はその顔の上に死相を見たように思った。

家に戻ると、意外にも女が帰っていた。明舜をみると、女は無言で炉のそばから立ってきて、包むように男の手を握った。

「どこへ行ってたんです？　心配したじゃありませんか」と女は言った。女の眼には、明舜の顔色を見さだめるような光があった。

明舜は、小走りに道を走った。ときどき後を振りむいてみた。旅姿になっている。朝、女がいつものように畑に出かけるのを見すますと、急いで支度をして家を出てきたのである。

女とはじめて会った日、野宿しようとした欅《けやき》の大木がある場所にきた。欅は葉が落ちつくして、裸の巨人のように青い空に手をさしのべていた。

――別れ道まで、もうひと息だ。

と思った。ほっとした気分が訪れてきた。同時に、奇怪な場所で、奇怪な日々を送ったものだと思った。長い夢を見たようだった。「お、おーい」と呼ぶ声がした。続いて声は、待てや、旅のご坊、と言った。無残にしゃがれた声だった。

振り返った明舜は、一瞬にして心が凍りつくのを感じた。女が一人、髪をふり乱して走ってくる。白髪の老婆だった。顔は痩《や》せ、眼は光り、口は耳もとまで裂けている。空を蹴《け》る脛《すね》は銅《あかがね》のように赤黒く痩せている。

明舜は必死に走った。ほとんど喚《わめ》き出さんまでに、心の中で法華経を唱えながら走った。明舜は、ついに台地のはずれまできた。そのとき、下の道を、雑木林の方に歩いて行く人影が見えた。なだらかな勾配《こうばい》の道を、明舜は走り降り、途中勢いあまって転んで、斜面を転げ落ちたが、また立ち上がって走った。

下の別れ道までたどりついたとき、明舜はちらと台地の上を振り返った。そこに年老いた鬼女がいた。鬼女はそこで立ち止まっていた。下の道にいる人影を認めて、追うのを諦《あきら》めたようだった。白髪が風になびき、日に照らされて銀色に光るのが見えた。

人影は、馬に乗った武士と、荷を担《かつ》いだ従者二人だった。従者の一人は肩に弓矢をかついでいる。

「お助け下さい」

追いつくと、明舜は地面に倒れ伏して叫んだ。

「ご坊、どうなされました」

従者の一人が、驚いてひざまずくと明舜を助け起こした。

「鬼です」明舜は台地の端に立っている女を指さした。

「鬼に追われております」

「佐五、弓をよこせ」

武士は鋭い声で従者を呼ぶと、馬上のまま、すばやく弓に矢をつがえた。だが引き絞ることはしないで、そのままじっと台地を見ている。

「鬼とは、あの女のことか」

やがて武士が言った。不審そうな声だった。

「鬼とは思えぬがの。あれは百姓女ではないか」

温厚そうな、四十年輩の武士は、そう言って矢をはずすと明舜を見た。

明舜は眼をあげた。台地の上を、一人の女が背を見せ、うなだれてとぼとぼと立ち去るところだった。女の肩は丸く、髪は黒く、裾《すそ》から出ている脛は、日の光をはじくほど白かった。

背に悲しみを見せたその後姿が遠ざかるのを、明舜は従者に促されるまで、茫然《ぼうぜん》と見送った。

夜が軋《きし》む

訛《なまり》ですか。え？　このあたりと違う？　そんな細かいことをおっしゃるのは、お客さんが江戸からお出《い》でだからでしょうか。

ええ、あたしはこの土地の者じゃありません。流れ流れて上州塚原、ごらんのとおりの飯盛りをしてますが、生れはずっと北なんですよ。さる物持ちの家で、乳母《おんば》日傘《ひからかさ》で育った娘の頃もありました。本気にしないでしょうけど。

え？　言われれば品がある？　いやですよ旦那《だんな》、まさかと思ったら本気になさって。も少しあがったらいかがですか。お銚子《ちょうし》もう二、三本持って参りましょう。まだ横になるには早いんでしょ。

お待ちどおさま、おつぎしましょう。

生れはどこだって？　だからずっと北だって申し上げたでしょ。ここから北と言えば、越後か出羽、もっと北なら津軽。そんな見当でよかありませんか。別に人別《にんべつ》調べというわけでもありませんしね。

いいえ、別に隠したいわけなんてものはありゃしません。これだけの宿《しゅく》に、旦那もご覧のとおり、ろくに毛も生え揃《そろ》わないような娘から、婆《ばあ》さん面《づら》に白粉《おしろい》ぬたくったのまで女がいるんです。それがひとりひとりわけがあって、おしゃもじも握れば、お客さんの添い寝もするという日を送っている。そんな女たちが、それぞれここまで落ちぶれました仔細《しさい》を物語ってみたところで、別に面白くもないんじゃござんせんか。あたしにしたって同じこと、さっき乳母日傘なんて言いましたけど、仮りにそれがほんとうだとしても旦那、話したところでしようもないことですよ。

いまさら娘の頃に戻れるわけもなし、それでもって、塚原宿の飯盛りといういまの身分がどう変るわけでもありません。くだらないお喋《しゃべ》りをしたり、男を騙《だま》して少し余分に頂いた金で、うまい物を喰ったり、そんなふうにして来る日来る日を流されていくいまのあたしほど確かなものはござんせん。思い出話なんてまっ平ごめんですよ。

それに旦那の前ですが、お客さんというものは大概薄情なものなんです。そりゃあ中には、可哀想《かわいそう》だとか、ずいぶん苦労したもんだ俺ァ涙がこぼれる、などとおっしゃってくれる人もいますよ。いますけどさ、それはその場だけの、いわば言葉のはずみ。一晩寝て、朝になってごらんなさいな。お客さんは世話になったという口もそこそこにどこかへ旅立っていかれる。あとにはなーんにも残っていない。もとのまんまの飯盛りひとりが、白けた顔で立っているだけなんです。

それがいやなんですよ。ええ、飯盛り女郎の身の上話なんてものは、旦那がおっしゃるように嘘《うそ》半分。そうしたもんです。大体が嘘で固めた商売だからこそ、旦那方に添い臥《ぶ》しして、束《つか》の間《ま》のきれいな夢も見られるんです。でも人間まるまる嘘を並べるなんてことは出来っこありません。

嘘のつもりの身の上話に、つい身が入ってほんとのことを喋っていることだってあるじゃござんせんか。それがですよ、旦那。心底見せたつもりのその人が、明けてむっくり起き上ると、ゆんべのことなどこれっぽちもおぼえていない顔、はい、それがはっきりと解《わか》るんです。そんな顔で、今日はどこそこの宿まで、どうしても足を稼《かせ》がなくちゃならねえ、なんて、まるでゆんべ泊って損したという顔色で早立ちして行くのを見送るのは、こうなんというかしら旦那、生意気なことを言うとお思いでしょうけど、世の中虚《むな》しいねえという気分になっちまうものなんです。

それでも聞きたい？　あんたも、ごめんなさい、旦那も物好きな方ですねえ。もっとも今夜は雪でも降りそうにやけに底冷えするし、こんな晩にしんみりお酒を頂いて、昔の話をするのも悪くはないでしょうけど。お手当てもたんまり弾んで頂いてるしするからねえ。

でも、あたしの身の上話には、少々気味が悪いところがあるんです。かまやしませんか。ずっと前に、やっぱり旦那のようにしつこく、あらごめんなさい、どうしても話せ、お前のような女が、飯盛り女郎でいるわけを聞きてえ、なーんておっしゃる人がいましてね。

仕方がないから、話したんですよ、聞きたいというあたしの身の上を。そうしたらどうだったと思います？　話が終ると、何となくまじまじとあたしの顔を眺めていましたが、布団《ふとん》に入っていざ本番というときに、とうとう何にも出来ず、あげくの果てに、一人で眠るからって、あたしは追い出されちゃった。

爺《じじ》いだろうって？　いいえ、四十前後で男盛りの人でした。どうですか、少し気味が悪かございませんか。

結構だ、よけいに面白いなんて旦那も変ったお人ですねえ。失礼ですが、旦那のご商売は何でございますか。大きな荷を背負っておいでですけど、見たところ薬や小間物にしては量《かさ》がありすぎるようですが。え、俺の身の上話をするんじゃない、ふ、ふ。そうでしたね。

でも話しちまってから、気味が悪くなった、心付けを返せなんておっしゃっても、あたしは返しませんよ。よござんすね。

亭主の仙十郎と仙台領から出羽ノ国荘内《しょうない》領に移ったのは、天保《てんぽう》の八年という年の春で、あたしは二十二でした。おや、年がわかっちゃいましたか。

何で八年という年を憶《おぼ》えているかと言いますと、ひどい凶作が起きたのが確か天保三年。この凶作が六年も続いたことは、江戸の方もご存じでしょう。あたしはこの凶作の間に仙十郎と一緒になり、天保八年には夫婦暮らしも四年目になっていました。

その前の年の春、あたしらのまわりに、ひもじいことから始まったいざこざがあって、そこに居られないようなぐあいになったもんで、仙台領から上《かみ》ノ山《やま》領、村上の天領と渡り歩いてはるばる荘内領まで行ったんです。

もっとも落ちついたところは、荘内領といっても、お殿様のご威光とやらも、ましてご恩などというものもとどいたためしのない、摩耶《まや》山という山の山奥でした。

もっともそんな山奥の村に、わけもなくたどりついたというわけでもありません。何日も平地に出たり、また山に入り込んだり旅をしてそこを目がけて行ったというのは、もちろんあてがあったんですよ、旦那。

仙十郎は木地師《きじし》で、荘内領も越後にほど近いその山奥に、やまつつじ、あおはだ、ぎしゃ、みず木、いたやなんていう、木地の仕事にもってこいの樹《き》が集まっていることを以前から聞いていたのです。それでほどいて元山だけを残し、しっかりと荷にくくった轆轤《ろくろ》を背負って、着るものや、当座の喰い物を背にしたあたしを連れて、道もない山の中を、峰に出たり谷に降りたりして、住み馴《な》れた木地の村を後にしたんですよ。

子供がいないから、身軽といえば身軽でしたが、心細さは同じことで、もう親の顔をみることもないだろうと思うと、樹の芽がぽつぽつ出はじめた木陰の沢を下りながら、思わず涙をこぼしたものですよ。

仙十郎は生れながらの木地師でしたが、あたしは仙台領の白石の商人《あきんど》の生れで、白石川に注ぐ松川という川がありますが、松川を北に溯《さかのぼ》ったところに湯治場があって、そこにある叔父の湯宿を手伝っているときに仙十郎と知り合いました。椀の類《たぐい》から、湯治客がみやげによく買う木ぼっこ、近頃はこけしなどと呼ぶそうですがね。あの木造りの人形などを叔父の家に持ってくる仙十郎と深い仲になっちまったんですよ。ええ、勘当着せられました。親子の縁を切られて、それでも仙十郎のいる山奥の村に行ったんですから、女というものは、自分のことながらこわいところがあるんですよねえ。

旦那も男前だから、おかみさんの眼のとどかないところで浮気するなんてこともあるでしょうが、気をつけなさったほうがよござんすよ。え？　どこまで話したっけ。

そうそう、峰によじのぼったり、谷底を伝ったりしながら、あたしが涙をこぼしたというのは、それまでは勘当されたといっても、いざとなれば親元に駆けこむ手がある、そんな気がいつもしていたんですよ。ええ、仙十郎と一緒になってから、親に会いに行ったなんてことは一度もありませんでした。なかったけれども、どうたどれば白石に行けるという道筋が、頭のなかにちゃんとしまってありました。

それがですよ、今度は見も知らない他国の深い山の中。どんな辛《つら》いことがあっても、これでふっつりと親を頼る道は切れた、それが心細くて心細くてならなかったのですよ。

仙十郎は、そんなあたしの気持に気づいた様子もなく、どんどん歩いていました。疲れたかぐらい言ってもよさそうなものなのに、喋る間も惜しいというふうに、せっせと歩くばかりなんです。

いったいに無口なひとで、押しかけ女房のような形で嫁になってからも、こんな喋らない人と、どんな段取りをつけて夫婦になる約束など出来たもんだろうと、時々首をかしげたほどでした。

木地の仕事は、江戸の方じゃあご存じないでしょうけれども、轆轤をまわすのに綱取りという仕事がありまして、そりゃあきつい仕事なんですよ。綱というのは旦那、藤《ふじ》の皮を三本撚《よ》ったものです。これを轆轤の軸に七巻きして、綱の先につけた丸い木の輪に、こう腕を通しまして、こっちにある友鞍《ともくら》というものに腰かけ、轆轤台に足をふんばって引くんですよ。それで轆轤が回るという仕掛けです。もう、体が後に倒れるほど引きますから、仕事が多いときは、腹から背からみんな痛みますよ。そういう仕事をした女なんです、あたしは。

仙十郎は、なんでもつくりましたが、因果なことに、あまり儲《もう》からない木ぼっこつくりに、いちばん根をつめた仕事をしました。遠刈田《とおがった》の木ぼっこというのは、自分でいうのもなんですが、彩《いろ》どりがきれいなつくりで、子供の玩具《おもちゃ》には、もったいないほど手をかけたものなんです。見たことありませんでしょ。髪には、紅花《べにばな》でちゃんと赤い手絡《てがら》まで描き入れましてね。胴にも色を塗るんです。

それはとも角、仙十郎とあたしは荘内領の山奥、蒼《あお》ノ沢《さわ》という村の端《はず》れに住みつきました。谷川をはさんで、十五、六軒の家が塊《かたま》っているだけの、村というのもおこがましいような、小さな村でした。その村の孫右衛門という家が、いまは使っていない古びた稲倉を貸してくれたんです。

四月の終り頃で、谷の窪地《くぼち》にはまだ雪が青白く残って、毎日溢《あふ》れるほどの雪解水が流れ下るのを、二、三日はぼんやりと眺め暮したものですよ。

そのことが起ったのは、蒼ノ沢にきてから三年目の冬のことでした。

蒼ノ沢の村は、さっき言ったようにほとんど越後領に近い国境いにありましたが、村の真中を流れる谷川をずんずん下ると越沢《こえざわ》、木野俣《きのまた》、小国《おぐに》、槇代《まきのだい》など、蒼ノ沢とはくらべものにならない大きな村々を経て、流れは小国川になって海に出るんです。もっともあたしがそれを眼でみたのは、それからさらに二年も後のことでしたがね。小国川と山ひとつへだてて、同じように海に向う川が北にありまして、その川を温海《あつみ》川と呼んでいました。

この温海川に近づいて、山の間を抜けようとするところに、遠刈田のような湯治場がありました。仙十郎は、三月《みつき》ほど仕事をして、溜《たま》った細工物を、この湯治場に運んで売ってきたんです。売るといっても、ただ金を持って山奥に戻ってきたところで、物を買うことが出来るわけはありませんからね。

湯宿にじかにものを持込むときもあり、また湯治場の土産物屋や、荒物屋に卸したりして金を受け取ると、仙十郎はそれで粟《あわ》や稗《ひえ》から着る物などを買って、蒼ノ沢に戻ってくるんですよ。

細工物は椀や杓子《しゃくし》から、お茶入れ、糸がらみ、煙草《たばこ》盆といろいろあったようですが、その中に、仙十郎は忘れずに木ぼっこと独楽《こま》をまぜて行きました。独楽などは旦那、紅《べに》で色どりした、それはきれいなものでした。木ぼっこ作りに精出していた、とさっきも言いましたが、いつの間にか仙十郎のこけしと言われて、麓《ふもと》では大層な評判だということを、あの口の重い仙十郎が、いつかぽつりと言ったことがありました。

そんなことで、温海の湯治宿にも馴染《なじ》みも出来、山奥の暮しながら、何とか暮して行けるめどがついたのですが、冬になれば雪に埋められてしまう山国のことですから、秋おそく温海に行ってくると、次の年の春まではじっと冬籠《ふゆごも》りするのがあたしたちの暮しだったのです。熊《くま》と同じことですよ。

ところが、その年の秋に、仙十郎は二月《ふたつき》ほど床についてしまいました。いえね、病気じゃなくて怪我《けが》をしたんですよ。

あおはだという樹は、北向きの崖《がけ》になっているあたりに多い樹なのですが、この樹を伐《き》りに行って、伐り倒す方向を間違えて飛び退《の》いたとき、枯れ蔓《つる》に足をとられて斜面を転げ落ち、そのまま立てなくなって、ほんとうに這《は》うようにして家に戻って来ました。

あおはだは大きい樹になると、差し渡し二尺、丈が三丈もある大木で、伐り倒すときには用心していたのですが、運の悪いときは仕方のないものです。ええ、木ぼっこを作る材にするつもりだったのですよ。木肌は青みがかかった白で、割るとかすり模様みたいな斑点《はんてん》がきれいで、中干しで細工が出来るし、かんなつきもよく、磨きもよく、仙十郎の話では紅ばな、つゆ草からとる藍花《あいばな》、きはだを煮つめて作る黄色などの、色ののりがいい樹だということでした。

大体新しい葉が出はじめる四月の末から五月にかけて山入りをし、柾見《まさみ》をしておいて、秋に伐るというのが、木地師の仕事の運びだったんですよ。

伐り倒した樹は、枝をはらわないで、そのまま山に寝かせておいて、一冬越させる。そして次の年の春になってから、六尺から八尺ぐらいの玉切りにして山をおろすと、かるく皮を剝《は》いで、さかさに立てておく。これが木干しの方法で……おや、すっかり木地師の女房の言い方で、こんな話は面白くないでしょ？

面白い？　そうですか。旦那《だんな》も変ったお人ですねえ。

とにかくそんなことで、足がなおったのはもう雪が降りはじめた十一月の初め頃でした。何とも言えない不安が胸をしめつけたのは、その頃です。喰いものが底をついて来ました。

しかし、足が癒《いえ》るのを待っていたように、仕事に精出している仙十郎をみると、その不安を言うことは出来ませんでした。仙十郎は、夜も油をともして、胡坐《あぐら》の中に小さな木ぼっこを抱え込むようにして、面相筆《めんそうふで》を動かし、打ち込むと明方になることもありました。

木ぼっこなどという子供の遊びものに、そんなに気を入れる仙十郎の姿を、はじめの頃は滑稽《こっけい》だと思ったこともあったのですが、だんだん見馴れてくると、打ち込むわけも解るような気もしました。

木ぼっこというのを旦那さんが知らないというのは、残念な気もしますよ。手も足もない、頭と胴だけのものですが、ただそれだけの木細工に、面相筆で目鼻を描き、髪を描き入れる、色をつけると、名の高い人形にも劣らない人形が出来るんですからね。

仙十郎のやり方をみていると、何かしらん憑《つ》きものでもしたように、気の入った仕事ぶりでした。細い面相筆で眉《まゆ》を描く、眼を描く。これは左から右に一気に描くのですよ。それから鼻、口です。

次に先をつぶした筆で、両鬢《びん》、前髪を描いて墨を終ると、紅、藍、黄で頭、鬢、襟《えり》もと。仙十郎の木ぼっこは遠刈田のものですから、胴にもはなやかな花模様を染めます。しまいには立て膝《ひざ》で、殺気立った眼つきをしました。

甕《かめ》の底がみえ、どう切り詰めても、残りの稗が三日ともたないことを知った日、あたしは仙十郎には内緒で鷹蔵《たかぞう》の家へ出かけました。鷹蔵の家は、あたしの家から一番近い、といってもあたしらが住んでいた孫右衛門の稲倉は、村から半町近くも離れていましたから、隣ともいえないのですが、強いていえば隣だったからです。鷹蔵は木樵《きこり》で、鷹蔵の女房は五年越しの病いとかで毎日寝ていました。顔をみたこともありませんでした。

あたしが鷹蔵の家に、喰うものを借りに行ったのは、そこが一番近い家だということもありましたが、それは自分で仙十郎に言い訳できるようにつけた理由で、じつは仙十郎には絶対言ってはならないところで、ひそかに鷹蔵なら貸してくれると思う気持があったからなんです。

蒼ノ沢の村に来て、二年半経《た》ちましたが、あたしと仙十郎は、村の人にまったく馴染みませんでした。

仙十郎はそういう男で、およそ人づき合いということを知らない、無口で村の人に会ってもろくに顔もみないで、ただ頭をさげて通るというふうだったから、村の人と親しくするなどということは無理な話でしたが、あたしはあたしで、村の人たちの中に入り込むことが出来なかったんです。

二年半の間、あたしが感じつづけたのは、突き刺すような村の人達の眼でした。男たちは、老人や子供をのぞけば、大概なめるような眼であたしを見ました。その視線は、胸もとからすぐに盛り上った乳の間まで突き刺さってくるのです。ある時あたしと道で擦れ違った男なぞは、そのとたんに眼であたしを裸に剝《む》いたものですよ。

女たちは、亭主持ちの女房も、若い娘もいまになにをやるか解《わか》らない女としてあたしを見詰めていました。気が遠くなるほど、しつこい眼で、あたしを見たものです。女たちがよく塊っている道端にある井戸の脇《わき》を通るときなど、あたしは無数の針が体に突き刺さる感じで、ほとんど体に痛みを感じるほどでした。

鷹蔵は、会うたびにあたしを裸に剝いてしまう眼をした四十男でした。鷹蔵が、あたしの頼みを聞いてくれない筈《はず》はないと思ったのは旦那にもよくお解りでしょ？　女というものはそういうことでは決して間違わないものなんですよ。

考えたとおり、木樵の鷹蔵は、二人で喰って十日分はたっぷりあるほどの粟と、驚いたことにめったに見ることもなくなった米を、計ったら二升はあるだろうと思う量の袋で渡し、こんなことを言いました。

「なくなったら、またござへ（来なされ）。それからな……」

鷹蔵は近々とあたしの顔に顔を突きつけました。

「この米は、来年の祭のとき使おうと取っておいたのだども、お前さんにやる。お前さんが食べらへ（食べなされ）」

鷹蔵の熱をもったような体臭と、髭《ひげ》の濃い唇から押し寄せる口臭のために、あたしはほとんど眼まいがしたほどでした。

——この取引は密通だ。

そう思ったとき、私は不意に体が潤《うる》むのを感じてしまったんですよ。よろめくように鷹蔵の家を出ると、さっき降りはじめた雪が、隙間《すきま》ない勢いで降り積っていました。背中から腰にかけて、鷹蔵の視線が貼《は》りついているのを感じながら、あたしは雪の中を歩き、途中で雪をすくって口に入れました。

鷹蔵に喰いものを借りたことは、仙十郎には言いませんでした。思い切って粟に米をまぜて出したとき、仙十郎はちょっと箸《はし》をとめましたが、それだけで何も言いはしなかったんです。

その後も二度鷹蔵から喰いものを借りました。鷹蔵はいやな顔もせず、木の実の漬物までそえて、粟と稗を貸し、優しい声で、これぐらいのことは何でもねえ、と言いました。そう言いながら、鷹蔵は壊れたものでも扱うように、帰ろうと背を向けたあたしの臀《しり》を遠慮がちにさわりました。大きな熱い手でした。気がつかなかったふりをして、あたしは外に出ました。でも仙十郎のでない男の手で臀をさわられたことで、あたしの血はいちどきに騒ぎ、体の中を音たてて血が流れるのが解りました。外に出ると、思わずあたしはまわりを窺《うかが》いました。上気した顔で、鷹蔵の家を出たところを、誰かにみられては大変だと思ったんですよ。

だが、どうということもありませんでした。鷹蔵の家や、孫右衛門の家、あたしらの家がある沢の東側にも、沢の西側の崖下に三軒ほどへばりついたように立っている家のまわりにも、人影はおろか犬の姿すら見えませんでした。はい、そんな小さな村でしたが、またぎの家が二軒あって、険しい面つきをした犬を三匹ずつも飼っていたんですよ。

村はひっそりしていました。どの家もすっぽりと雪を被《かぶ》って、羽目板や閉ざした板戸が黒っぽい穴を穿《うが》ったように、雪の中に点々と散らばっているばかりでした。沢も涸《か》れて……言い忘れましたが、その沢の名も蒼ノ沢と言いましたよ。その蒼ノ沢も、すっかり雪をかぶって、凹《へこ》んだ幅広い雪の道のように見えました。

村からは少し離れた平地にあるあたしの家のまわりにも、もちろんのこと、人影はありませんでした。仙十郎が木ぼっこの彩色にかかっているところをみて、あたしは家を出てきたのですから、本当はそんな気遣いはいりませんでした。仙十郎は木を伐りに行くか、麓の湯宿に行くかするときのほかは、家を出ることはほとんどないからです。

稲倉ですから、その家は普通の家より少し軒高になっています。ひょろりと高いその家をみつめて、あたしはなんとなく背が高く、めったに笑うこともない仙十郎にその家が似ているように思いました。そう思うと、昂《たか》ぶった気分が不意に醒《さ》めた気がしました。

仙十郎が、麓の温海に出来上った品を届けるといって、雪の中を山を降りて行ったのはその翌日でした。

物音に眼覚めたのは何刻《なんどき》だったでしょうか、とに角あたしがひと眠りしてあとですから真夜中でした。

はじめは風が出たかと思いました。みしみしと家がきしみ、少し間をおいて、またみしみしと家が鳴りました。とっさにあたしは今日山を降りた仙十郎のことを考えました。

仙十郎は今夜は木野俣か温海川泊りのはずでした。雪の中をかんじきをはき、蓑笠《みのかさ》を厚く着て沢伝いに降りて行きましたが、あたしはそんなに心配はしておりませんでした。道はもちろん雪に埋もれていましたが、朝のうちは雪も降らず、曇り空ながら穏やかな日でしたし、越沢まで降りれば、冬とはいえそこは街道が通っています。昼過ぎから雪が降りましたが、その頃にはもう越沢まで降りたに違いないと思っていたのです。

もちろん雪の中を温海の湯宿まで下りることに、あたしが反対しなかったわけではありません。だが仙十郎は、冬を越す喰い物を求めて来る、と言いました。それだけ言って、あとは何も言わない仙十郎をみると、あたしは鷹蔵のことを隠していた後めたさを、いきなり刺された気がして、もう何も言えなかったのですよ。そして仙十郎が言うとおりで、麓から喰うものを運んで来なければ、ひと冬鷹蔵に喰わしてもらうしかないし、仮りにそんなことになれば、それはあたしがやがて鷹蔵の言うままになるしかないということでした。

あたしはそのことを恐れていました。そうなるしかないところに自分を追いつめて行く、そんなあたし自身の気持がこわかったのですよ。

さっき、山を降りた仙十郎を、そんなに心配していなかったと言いましたが、何里もある山道を雪をわけて行く夫を心配しないわけではありません。でも仙十郎は山育ちで、山のことを、あたしなどよりずっとよく知っていましたし、瘦《や》せて背の高いその体が、案外にしたたかな力を隠していることも、あたしは知っていました。

街道まで降りれば、木野俣まで行かなくとも、越沢という泊る村はあります。疲れがひどければそこで泊ってもいいのです。

だが、風が出てきたとなると、話は違ってきます。旦那は江戸の方ですから、雪国の風がどんなに恐ろしいものか、ご存じないでしょうが、一たん吹きはじめると、二日も三日も続くことがあります。

吹雪というのは旦那、雪が降っているときでなくとも、積もった雪を捲《ま》き上げて風が走り、空を見上げると青い空がみえるのに、まわりは一間先が真白で何も見えない、そんなものなんです。道はおろか見馴《みな》れた景色まで形が変ってしまうんですよ。

自分の家のそばまで来ながら凍え死んだ、などということがよくあるんです。嘘《うそ》のような話ですが、吹雪に捲かれたものにとっては、眼の前の家が一里も先にあるのと同じことなんですよ。

仙十郎を案じたのは、家鳴《やな》りのようなその物音が、てっきり風が吹きはじめたせいだと思ったからでした。

だが、すぐに風でないと気がつきました。風が吹くときは、裏山の雑木林が、潮騒《しおさい》のように底鳴りして騒ぐのですが、山はひっそりしたままでした。外はひっそりして雪が降り続いているのか、止《や》んだのかわかりませんでした。

またみしりと家がきしみました。いっときのしんとした間があって、またみしりと鳴りました。その家鳴りと家鳴りの間に、海の底にでもいるような静けさがはさまりました。重たい静けさで、あたしは村全体がいつもよりひっそりとし、息を殺しているように感じたんです。

床の中で眼を開きながら、あたしはその物音を聞きとろうと息を詰めていました。何かが、家の外にいる——次第にその感じが強くしてきたからです。物音を聞き洩《も》らすまいとする気の張りのために、あたしの手のひらはすっかり汗ばんでしまいました。だが、やがてその必要がなくなりました。音と音との間合いが、みるみるせばまり、家は地震にでも襲われたように、ぎしぎしと絶え間なく鳴りはじめたからです。ほんとうに地震ではないかと思って、起き上りかけたのですが、すぐにそうでないことが解りました。体に、わずかの揺れも伝わって来ないのです。

闇《やみ》の中で、床に体を縮めながら、私は恐ろしさに耳を塞《ふさ》いでいました。ぎしぎし、ぎしぎしと羽目板が鳴り、戸が鳴り続けていました。そして何者かが外にいて家のまわりをゆっくりと歩き廻っている気配がしました。

鷹蔵が来たのだ、と不意に私は思いました。鷹蔵がついに忍んできて、あの髭面を傾け、入ろうか入るまいかと思案に暮れて歩き廻っているのだ、と。

鷹蔵は、仙十郎が山を降りたのを知っていました。朝早く、仙十郎を見送ったあたしは、家に入ろうとしてふと誰かに見られている気がして振り向きました。すると、軒下に立ってこちらをみている鷹蔵の姿が眼に入りました。髭につつまれたその表情は、軒下が暗いせいもあって、はっきりしませんでしたが、あたしを見つめたまま、置き物のように動かないその姿から、あたしは、鷹蔵が、あたしによく解る合図を送ってきているのが解りましたが、気づかない素振りで家に入りました。

鷹蔵がやっぱり来たのだ、とあたしは思いました。鷹蔵がきて、どこから入ろうかと、家のまわりを手探りして廻っている。そう思うと、あたしは不意に体が火照《ほて》るのを感じました。やがて戸を開けて鷹蔵が入って来、荒々しくあたしを抱きすくめにやってくるに違いない。その情景を、長い間頭の隅で思い描いてきた気がしました。

まだ家が鳴り続けていました。その家鳴りが、不吉に音が大き過ぎ、ほとんど家が裂けるのではないかと思われるほどになっているのに、それを不思議に思う気持はあたしの頭の中を素通りし、音の激しさは、ただあたしの血を搔《か》き立てるだけになっていました。

床の中で、火照りに耐えきれずあたしは大胆に脚をひらきました。体は汗ばみ、潤んで、旦那《だんな》恥ずかしいじゃありませんか、あたしは確かに声まで立てたんです。頭が霞《かす》んだような、じれったい気持だけの時が、どのくらい続いたもんでしょうか。やがて疲れきって、あたしはいつの間にか眠ってしまったようでした。ええ、男に抱かれた後のように、疲れていました。

羽目板の隙間から射《さ》し込む、朝の日の光の中と、凍えるような寒さの中で、あたしは眼が覚めました。

綿がはみ出た掻巻《かいまき》の中に体を縮めながら、あたしはぼんやりと昨夜のことを思い出していましたが、不意に弾《はじ》かれたように起き上りました。

家はどこも壊れたようすもなく、いつものままでした。羽目板は黒く光り、明かり取りの窓の枠《わく》には古びた蜘蛛《くも》の巣が、埃《ほこり》をかぶったまま、朝の光に柔らかく光っていました。立ち上って戸口の心張棒を調べましたが、かたりとも動いた痕《あと》がありません。

鷹蔵はゆうべ、来なかったのです。

あたしはぼんやりと昨夜のことを思い返しました。狐《きつね》につままれたような気がしました。鷹蔵でなかったら、あんな音を立てたのは誰だったのだろ。それも家がばらばらに壊れるほどの音を立てたのは、誰なんだろ。そう思ったとき、あたしは不意に体が総毛立つのを感じました。長いこと、あたしは土間に立ち竦《すく》みました。寒さは感じなかったんです。仙十郎が、早く帰って来ればいい、と思いました。

ひとりだけの味気ない朝めしを済まし、表戸を開けたのは、多分五ツ（午前八時）頃だったと思います。

雪が積もり、その上を柿《かき》いろの静かな日の光が這《は》っていました。小さな村の、小さな家が、半ば雪に埋まってひっそり佇《たたず》み、蒼ノ沢の東岸の家々は、切り立つ山の斜面に日を遮《さえ》ぎられて、まだ眠っているように見えました。昨夜風が吹かなかったことは、積もった雪が、綿を置いたように柔らかく、少しの乱れもないことで解《わか》りました。

このときあたしの眼を惹《ひ》いたものがありました。家の右端の角のところに、ひとところ雪の盛り上りが見えたんです。そのあたりに物を出しておいた憶《おぼ》えはありませんでした。あたしは何となく不吉な予感に胸を騒がせながら、いそいで雪沓《ゆきぐつ》を履き、外へ出ました。足は昨夜の新しい雪に、忽《たちま》ち膝《ひざ》まで埋まりましたが、家から持ち出した板で、雪を掻き分けながら、雪が盛り上っているそこまで近づきました。

思わず悲鳴をあげかけて、ようやくあたしはその声を呑《の》み込みました。雪の盛り上りは、横になった人の形をしていたのです。あたしは村の方を眺めました。村はまだひっそりしています。沢の左側の家はまだ眠っているように見えましたが、右側の日はまたぎの家に照らされた方の一番上手《かみて》の家の前で犬が動きまわっていました。そこはまたぎの家なのです。人影はありませんでした。

雪の下にいるのは仙十郎に違いない、とあたしは思いました。不意に悲しみがあたしの胸に溢《あふ》れ、涙が頬を流れ落ちました。

ゆうべ仙十郎が帰ってきたのだ、とあたしは後悔に胸を裂かれながら思いました。雪が降って、仙十郎は多分道を失い、途中から引返して来たのだ。そして家のそばまでたどりついてそこで倒れてしまった。

なぜ家が無気味に家鳴りしたか、あたしには解る気がしました。仙十郎は家に入りたかったのです。どんなにか入りたかっただろうと思うと、涙はとめどもなく顔に溢れました。仙十郎が哀れで、それにひきかえ、その時分あたしは何を考えていたのだろうという後悔で胸も潰《つぶ》れるほどだったのです。あたしは夢中になって雪を掘りつづけました。

気がついたのは、まだ顔をみないうちでした。着物が違っていました。仙十郎ではありません。初めはそのことに気づかないで雪を掘りつづけていたのです。うろたえていたんですよ。

うちのひとでないと気がつきましたが、途中でやめるわけにも行きません。一たん休めた手をあたしはまた動かしました。一度泣いたあとの空虚な気持が、その仕事の気味悪さを幾分紛れさせていました。そして、今度こそあたしは、谷間に響きわたる高い悲鳴をあげていました。

雪の中から、青白い顔をのぞかせたのは、鷹蔵だったのです。

鷹蔵は、村の北端れの高台にある墓地に埋められました。お寺もなく、坊さんもいないながら、村の人が寄り集って、南無阿弥陀仏《なむあみだぶつ》を称《とな》え、補陀落《ふだらく》を称えて丁寧に葬《とむら》いをしました。

通夜《つや》にも葬式にもあたしはいかずその間家の中に籠《こも》っていました。孫右衛門の爺《じい》さまに、体の具合が悪くて手伝えないと言ってありました。もちろんそれは口実で、いま葬式の手伝いなどに行ったら、村の女房たちに、どんなことを言われるか解らないと思ったのです。

明かり取りの小窓を少し開けて外をみると、村の女房たちが小走りに鷹蔵の家を出たり入ったりしているのが見えました。女たちは大てい小脇《こわき》に何かかかえ、鷹蔵の家に何か運びこんだり、また笊《ざる》がない、小皿が足りないといっては家に取りに戻ったりしているようでした。女たちは雪道の途中で擦れ違うと、そのちょっとの間もすばや

く お喋《しゃべ》りを交し、顔を仰向《あおむ》けて陽気に笑い声を響かせたりしました。そうしてそそくさと小走りに道をいそぎ鷹蔵の家に駆け込みました。女房たちのまわりには、いつも一人か二人子供がまつわりつき、子供を叱《しか》る甲高い声が響いたりして、雪に埋まった山奥の村は、不意に祭りが訪れたような、陽気な騒ぎに捲きこまれたように見えました。これだけの村に、こんなに沢山の人がいたかと、驚くほどでした。

男達は、鷹蔵の家の軒下に塊って、そこで棺桶《かんおけ》を作ったり、竹を伐《き》ったり、縄を綯《な》ったりしていました。女たちの陽気さにくらべて、男たちは陰気に黙りこくって手だけすばやく動かしているのが見えました。

夜になると鷹蔵の家で南無阿弥陀仏を称える声が聞えました。澄んだ鉦《かね》の音が、かあーん、かあーんと同じ間を置いて響き、鉦にあわせて先導の者がなむあみだーぶつと称えると、その後に続いて、大勢の声がやはり鉦にあわせて、なむあみだーぶつと称えるのです。

鉦の音、途切れるかと思うほど細い先導の声、その後に続く地の底から湧《わ》くような大勢の声を聞いていると、死んだ者をあの世に送るというより、死んだ鷹蔵に、村の者が話しかけているようでした。

よっぴて続きそうな鉦の音と南無阿弥陀仏を聞きながら、あたしは仙十郎が早く帰って来ればいいと思いました。だが、心の片隅に仙十郎が帰るのを怖《おそ》れる気持もありました。

鷹蔵が仙十郎に殺されたのではないかと、あたしは疑《うたぐ》っていたのです。雪の中に埋まっていた骸《むくろ》が鷹蔵だと解ったとき、あたしがしたことは、そこから谷川ぞいの道に降りるあたりに、足痕がないかを調べることでした。とっさに仙十郎がゆうべ、一たん家の近くまで戻ってきて、そこで家のまわりをうろついている鷹蔵を見つけ、嫉妬《しっと》から鷹蔵を殺したのではないかと思ったのです。

だが、雪は降り積った形のままで、兎《うさぎ》の足痕ひとつありませんでした。それを確めて、それからあたしは孫右衛門の家に走ったのです。雪の中で何度も転びました。

鷹蔵が掘り出されるのを、あたしは見ませんでした。しかし不思議な話が伝えられました。鷹蔵の死に様が、見るも無残だったというのです。顔といわず、手足から胸、腹にかけて、深く裂けた無数の傷があったということでした。

足痕がなかったので、一度は安心したあたしでしたが、その話を孫右衛門から聞いたとき、それが手斧《ちょうな》の傷痕ではないかと思いました。

手斧は木地師が使い馴れている道具なんです。仙十郎が殺したのではないかという疑いは、もう一度あたしの心を濃く染めあげたのでした。

疑うには理由があったんですよ、旦那。仙十郎は、一度人を半殺しの目に合わせています。

仙台領を離れたのが天保の八年だと申しましたが、その年になっても、空はいつまでも寒く、不作が続きそうな雲行きでした。雪が溶けるのを待って、木地村の人々は争って蕨《わらび》の根を掘りに山の中を這いまわりました。唐鍬《とうぐわ》を使って一尺ぐらい土を掘ると、蕨の根が渦巻き型の新しい芽を出しているのが見つかります。

この芽を食べるとうまいのですが、そのときは芽だけでなく土の下を這っている太い根を、それこそ根こそぎ掘りました。これは後で水洗いして板にのせると、二人がかりでこんな細い槌棒《つちぼう》で叩《たた》き潰します。潰したら、たっぷり水を入れた桶《おけ》の中で、ざわざわとすすぎ、滓《かす》を捨ててざっと二刻《ふたとき》あまりそのままに放って置くんです。

そうすると桶の底の方に白い葛《くず》が溜《たま》ってきます。そこで上の水を捨て、葛を袋の中に入れて、別のきれいな水を入れた桶で、丹念に搾《しぼ》って濾《こ》すんです。この桶の上水をもう一度捨て、そこで桶の底に残った葛を、むしろにひろげて天日で乾かす。これを団子とか、粟粥《あわがゆ》に入れて食べるんですよ。

蕨粉つくりは、こんなに手間がかかるのですが、一日中山肌を這いまわったところで、どだい量《かさ》の少ないものですから、そうそう取れるものではありません。

　ある日せっかく掘り起した蕨の根を盗んだものがいました。それまで採った根を、大きないたや楓《かえで》の根元に置いて、あたしと仙十郎が僅《わず》かの間そこを離れた隙《すき》に、縄で束ねた根を盗《と》ったものがいたのです。泥棒の後姿が、斜面を駆け上り雑木林の際《きわ》に消えるところを見ました。

「道七だ」

　仙十郎は鋭い声で言うと、すぐに斜面を駆け上りました。あたしもその後を追いました。唐鍬も籠もそこに抛《ほう》り出したままです。

　男たちの争いが、あんなに凄《すさま》じいものだと知ったのはその時が初めてでした。雑木林はすぐに深い松林に続いていて、その中の枯木が倒れて空地になっているところで、仙十郎と道七という同じ村の木地師が向いあって立っていました。道七は四十を過ぎた、がっしりした男でしたが、仙十郎よりもっと無口で、ふだん村の中でも変り者と言われている人間でした。

　道七は唐鍬をふりかぶっていました。仙十郎の方はそのあたりで拾い上げたらしい太い木の枝を手にしていました。二人は気合を掛けながら、相手の隙をうかがっていました。まるで侍の果し合いのようでした。

そんなことを申し上げると旦那は妙だとお思いかも知れませんが、遠刈田のあたりの木地師は、よくやっとうの稽古《けいこ》に精を入れていました。木地村から南の方に山を登ったところに七日原というところがありまして、ここを仙台の片倉様が馬の放し場にしていました。木地師はここを見廻ったり、牧場の柵《さく》を結ったり、また領内にこっそり入り込む者を見張ったり、という仕事もしていたんです。昔はこっちが仕事で、ひまひまに轆轤《ろくろ》を廻しはじめたと聞いたこともあります。山侍のようなものでした。

道七が力にまかせて振り下ろす唐鍬は、すれすれに仙十郎の顔をかすめ、あたしはそのたびに悲鳴を挙げ、狂ったように眼と口を開きっ放しでいました。

やがて仙十郎の方が押し始めました。仙十郎の振りおろす棒が、時々道七の体に決まって、鈍い音を立てるのを聞きました。段々に道七の動きが鈍くなって行くのが解りました。

「もういいじゃないか。おやめよ」

とあたしは叫びました。ところが、男たちの争いは、それからが眼を覆《おお》うほどひどいものになって行ったのです。

だいぶ弱った様子だったのに、顔半分を血だらけにした道七が、また飛び込み飛び込み、仙十郎を押しはじめ、唐鍬の刃が仙十郎の肩先を裂き、腿《もも》の肉を割りました。

仙十郎の棒も、空気を千切るように唸《うな》って、道七の腕や腹を襲い、しまいにはささらのようになりました。

道七が海老《えび》みたいに体を曲げて倒れ、そのそばに仙十郎が膝をついたとき、二人とも血まみれになっていました。

死にはしませんでしたが、道七は不具になりました。三月《みつき》ぐらいも寝つき、癒《なお》ったときは歩けなくなっていました。

仙十郎の痩せた背の高い体の中に、そんな恐ろしいものが隠されていることを知っているのはあたしひとりでした。あたしが鷹蔵を殺したのは仙十郎ではないかと疑ったのは当然でした。

出かけてから十日目の夜に、仙十郎は帰って来ました。それも吹雪の中を、雪の塊のようになって帰って来たのです。

薪を燃やして、触るとどこもかしこもばりばり氷が音を立てる仙十郎の体から荷をおろし、蓑《みの》や脛巾《はばき》を剝《は》ぎ取りながら、

「鷹蔵さんが死んだんだよ、お前さん」

とあたしは言いました。仙十郎は囲炉裏端に腰をおろし、草鞋《わらじ》を脱ぎながら、ほうと言っただけでした。

「お前さんが越沢に降りて行った晩に、誰かに殺されたようなんだよ」

言いながら、あたしは仙十郎の顔を窺いました。

だが仙十郎はじろりとあたしの顔をみただけで、話に乗ってくる様子はありませんでした。しばらく外の吹雪に耳を傾けながら、手を火にかざしていましたが、「腹が減った」とまたひと言いっただけでした。

その翌朝、仙十郎が担《かつ》ぎ上げてきた粟や稗《ひえ》、僅かばかりの玄米《くろごめ》、干し魚などを包みの中から出していたあたしは、急に何かの手で抓《つま》まれたように胸が痛むのを感じました。手斧《ちょうな》が一本そこに入っていたのです。幅広い刃が青光りしているのをみながら、あたしは眼が昏《くら》むような気がしましたが、それだけで仙十郎が鷹蔵を殺したとは言えない、と思いました。このあたりの冬山は、奥の方から熊《くま》が渡ってくることも珍しくない、とまたぎの爺さんに聞いたことがあります。手斧は用心のために持って行ったのかも知れません。

仙十郎は、そんなあたしの様子に気づいた様子もなく、隅の仕事場でもう鉈《なた》を使いはじめていました。

翌年の冬、今度は仙十郎が死にました。

十月の終り近くなって、仙十郎はまた山を降りて湯温海《ゆあつみ》へ行くと言い出しました。八月の終りに一度行ってきて、それでその年は終りの積りでした。ところがその年は雪の気配が遅く、十月になってから二、三度寒い霙《みぞれ》は降りましたが、晴れた日が続き、珍しいことでした。そして八月が過ぎてから仕事がすすみ、仕事場の隅に出来上った品物を積み上げるほどでした。

「お前にも着物の一枚ぐらいは買って来なくてはな」

仙十郎は止めるあたしに向って言いました。珍しく沢山喋《しゃべ》りました。

「去年行って解《わか》ったことだが、湯宿の方はいまごろから湯治客が多くなる。持っていけば品物はいくらでも捌《さば》ける」

「でも、もう冬なんだから」

「なーに、まだ雪は降りやしねえよ」

仙十郎はなぜだか解りませんが、欲に憑《つ》かれた男のように、諦《あきら》める気配がありませんでした。

仙十郎が大風呂敷《おおぶろしき》に包んだ荷物を背に、山を降りて行ったその日の暮れから天気が変り、山は雪になりました。海の方から吹きつける風が、二日の間轟々《ごうごう》と山を鳴らし続け、白い矢を射込むように雪が峡《たにあい》の村を襲いました。そして風がおさまると、今度は雪は休みなく降り続け、厚く村を覆いはじめたんです。道が跡形もなく雪の下に隠れ、蒼ノ沢の水は涸《か》れ、雪が積ると峡は一本の幅広い道が村の中を通り抜けているように見えました。家々はまた黒い穴のように雪の下に隠れはじめました。大雪でした。

その音を聞いたのは、仙十郎が山を降りてから七日目の夜でした。あたしは早めに掻巻《かいまき》の中にもぐって、ひそひそと誰かが囁《ささや》いているような雪の音を聞いていました。雪はまだ降り続いているのです。考えは自然に仙十郎の上に落ちました。この雪の中を帰って来られるだろうか、と思いました。無理に帰って来なくともいい。雪がやんで、空が晴れたら戻ってくればいい、と思う一方、七日もひとりでいる淋《さび》しさ、人恋いしさが、あたしの中に募ってきていました。闇《やみ》の中に眼を開いたまま、あたしは寝つけない体で幾度か寝返りを打ちました。

そのとき、みしりと家が鳴りました。長い刻《とき》を置いて、またみしりと家が鳴りました。やがて羽目板、というよりやはり家全体がぎしぎしと鳴りはじめました。

地震でないことは、体が少しも揺れないので解りました。風でもないことは、外で相かわらずこっそりと人が囁き合っているような雪の音が聞こえ、裏山の雑木林が、少しも騒ぐ気配がないことで解りました。

外は海の底のように静かでした。あんな静かな雪の夜なんて、もう沢山ですよ、旦《だん》那《な》。あんな怖いものはありゃしません。あたしは眼を塞《ふさ》ぎ、両手で耳を塞ぎました。だけど耳を塞ぎ、眼を塞いでも、家鳴《やな》りははっきり解りました。ぎしぎし、ぎしぎしと家は絶えず鳴り続けていました。いまにも家が壊れ、潰《つぶ》れるかと思うほどでした。そしてどうしたと言うんでしょうか、旦那。あたしは体が火のように火照《ほて》って、いたたまれなくなって掻巻を胸からはねのけました。体の中を、ひどく淫蕩《いんとう》な血が、音たてて流れているのを感じたんです。

恐ろしさは、いつの間にか頭を離れ、誰かが、家に入りたくて、家の回りを廻っているという期待で、頭が熱くなっていました。仙十郎が帰ってきたのだ、とも思い、あの頑丈な体つきの、またぎの爺《じい》さんがやってきたのだとも思いました。喉《のど》は渇き切って、あたしは胸を喘《あえ》がせ、白い腕を闇の中に突き出しました。体が潤《うる》み、熱いものが太腿《ふともも》を濡《ぬ》らすのを感じました。

男に犯されたように疲れて眠った翌朝、あたしは一種の予感に導かれて戸を開けました。

雪は、まだ降り続いていました。そして戸口の前に、人の形をした雪の盛り上がりがありました。去年のようには、あたしは騒ぎませんでした。当然のことをするように、あたしは板で雪を掻《か》き捨てました。そのとき頭の中にあったのは、少し大袈裟《おおげさ》な言い方かも知れませんが、旦那笑っちゃいけませんよ、あたしという女のさだめ、ということだったんです。宿世《すくせ》のさだめで、あたしの回りにこういう凶《わる》いことが起こる、そう思ったんです。

雪の中から、仙十郎の着ているものが顔を出したときも、あたしは一寸《ちょっと》手を休めただけでした。ただ仙十郎の骸《なきがら》をすっかり掘り出したとき、あたしはさすがに息を呑《の》みました。体が石のように固くなりました。

旦那、ああいうことってあるものでしょうか。仙十郎の顔から喉、胸もと、そしてずたずたに裂かれた袖《そで》からのぞいた腕も、深く抉《えぐ》られた傷でいっぱいだったのです。長い硬い爪《つめ》で荒あらしく肉を掻きとったような傷で、むろん手斧の傷ではありませんでした。もっとも傷から流れ出た筈《はず》の血は、みーんな雪に吸われて、白っぽく弾《はじ》けた肉がのぞいているだけでした。

次の年の春、雪が溶けはじめるのを待って、あたしは蒼ノ沢を降りました。その朝、僅《わず》かの身の回りのものをまとめて背負うと、あたしは家の中を見廻しました。

暗い部屋の隅の仕事場に、捨てられた獣のように轆轤《ろくろ》がうずくまっていました。そこで綱を引いた何年かの暮しが胸を衝《つ》いて来ましたが、ここがもう自分の住む場所でないことも解っていました。

外に出ると、青白い明け方の景色が眼に映りました。雪の道のようだった蒼ノ沢は、岸や岩や浅瀬に青白く雪を残していましたが、水が流れはじめていました。微《かす》かな水音をあたしは耳にしました。春の音でした。

両岸の家々は、まだひっそりと眠っていました。屋根のところどころに雪が残り、岸の雑木も根もとに厚く雪を残していましたが、その雪が消える日はもう間近いのを感じました。蒼ノ沢は村を分けて溯《さかのぼ》ると、左右からさし交す樹《き》の枝の中に姿を隠し、右からと左からと峡をはさんで斜めに空を区切る山の斜面の形に、その在りどころを示すだけでした。

峡のその涯《はて》に、摩耶山の白い壁のような尾根が青い空を区切っているのがみえました。尾根は白く日に輝いていました。

もう一度村に眼を戻したとき、あたしは眼を瞠《みは》りました。景色はみる限り青く染まっていました。残った雪も、小さな音を立てている水の面も、家々の軒も、日暮れのように青い色の中に沈んで、静かでした。蒼ノ沢と村の人が名付けたわけが解った気がしました。

歩き出そうとして、何気なくあたしは鷹蔵の家をみました。そしてあたしの足は釘《くぎ》づけになりました。

軒下に鷹蔵の女房が立っていました。背の高いひどく痩《や》せた女でした。鷹蔵の女房のことを、あたしはこれまで一度も考えたことがなかったし、見たのもその時がはじめてでした。長い間患《わずら》って寝ていると聞いただけなのです。そして今日が今日まで、起きることもかなわない病人だと思い込んでいたのです。

だがいま、ひと眼でそれが鷹蔵の女房だと解りました。口は奇妙な笑いを浮べていましたが、眼は憎悪《ぞうお》で、まるでひとを射抜くように光っていたからです。

恐怖が胸を摑《つか》んだのは、でも僅かの間でした。あたしはゆっくり背を向け、蒼ノ沢を後にしました。

鷹蔵と仙十郎を殺したのは、あの女房だとその後暫《しばら》くあたしは思っていました。でも近頃は違うんですよ、旦那。二人を殺したのがあの女だったら、あの気味の悪い空鳴りは何だったのでしょう。あたしが聞いたあの家鳴り、夜っぴて家のまわりをうろついていたあの足音のようなものは、ひょっとしたら、山の精のようなものが、あたしを窺《うかが》ったのかも知れない、などと考えたりもするんです。あの肉を毟《むし》ったような傷痕《きずあと》は、鷹蔵の女房が殺したというよりは、やはり何か得体の知れないものが、二人の男を雪の夜に襲ったと考えるしかないようなものでした。

そして近頃はこんなことも考えるんです。その得体が知れないものを呼び寄せたのは、あたしの中の淫蕩な血に違いない、と。あの夜のことを考えると、それが一番確かなことのように思えるんです。二人の男が死んだのはあたしのせいなんです。あたしが殺したようなものですよ。

こんな寒い晩は、ふとあの谷間の小さな村を思い出すことがあるんです。暗い闇が、ここからずーっと北のあの谷まで続いていて、その闇の中に、ぼんやりと白い村があるのが見える気がするんですよ。灯のいろもなく、ひっそりと白い村のあるのが。

おや、酒を取り換えましょう。話に夢中になって、すっかりさめました。

旦那、妙な顔をしてあたしをご覧になって。やっぱり薄気味悪くなったのと違いますか。だから初めに申し上げたんですよ。ろくでもない身の上話など聞くのはおやめなさいって。

あとがき

はっきり郷里の史実に材をとったというものでなく、つくりものの小説を書いているときにも、私はそのなかで郷里の風景を綴《つづ》っていることがある。そして、それは必ずしも郷里の現実の風景というわけではなく、私の中にある原風景といったものであることが多いようだ。

原風景というと何だと言われると困るようなものだが、時代で言うと昭和五、六年ごろから昭和十三、四年ごろまで、私の年齢でいうと物心ついてから、小学校五、六年ごろまでの、生まれ育った土地の風景が、いまも私の中に生きつづけているわけである。

たとえば、ふだんは聞こえない遠くの汽車の音が聞こえてきた、静かな雪の夜道とか、葦切《よしきり》が終日さえずりつづける川べりとか、とり入れが終って、がらんとした野を染める落日の光とか、雪どけのころの、少しずつ乾いて行く道とか、雑多な風景がその中に詰めこまれている。

そしてそういう風景が単独で存在するわけでなく、少年倶楽部《くらぶ》や譚海《たんかい》といった少年雑誌、姉たちのお古の少女雑誌、「快傑黒頭巾《ずきん》」や「亜細亜《アジア》の曙《あけぼの》」、啄木《たくぼく》や下総《しもうさ》の歌人長塚節《たかし》、カール・ブッセの「山のあなた」、そしてジャン・バルジャン。さらに牧逸《いっ》馬《ま》の「この太陽」、吉屋信子《よしやのぶこ》の「地の果まで」といった小説などが、これらの風景とわかちがたく結びついて、ひとつの心象風景を形づくり、私の中に存在しているわけである。

小学校の五、六年のときに、私は姉が持っていた大人の小説をほとんど読んでいたし、また「レ・ミゼラブル」を授業中に読んでくれたのは、宮崎先生という担任の教師だった。もっとも私たちは、小説の筋に感動するよりも、ジャン・バルジャンという奇妙な発音の名前がおかしく、その名前が出てくるたびに大笑いした。宮崎先生は田舎の小学生の程度の低さに、さぞ失望されたに違いない。

日本が日中戦争に突入したのは、私が小学校五年のときである。その後戦争が拡大すると、風景は少し荒れた。そして戦後は、なにか別のものが風景の中に入りこみ、風景は変質し、ある場所では破壊された。私の心の中に残る風景は、そういう意味で私の古きよき時代を兼ねるかのようにもみえる。

だが実際には、そういう回顧趣味とはべつに、その風景はある重さを持って、私の中に生き続けている気がする。多分それは、私がはじめて認識した世界であるからだろう。それは後年出会うような風景のイミテーションでもなく、反覆でもない、まま新しい風景だったのである。その風景が、現在小説を書いていることと、どこかで固く結びついている気がするのは、当然のことかも知れない。

この短篇集のあちこちに、この私の風景が点在している。時代もののなかに書いて、べつにそれほど不自然な気がしないのは、むかしは近年のようでなく時がゆっくり流れていたからであろう。私の風景のなかには、あきらかに明治の痕跡《こんせき》が残っていたが、考えてみれば明治はたかだか二十年ぐらい前のことで、それは何の不思議もないことだった。

昭和五十二年一月

藤沢周平

解説

藤田昌司

冒頭の作品の書き出しの部分を読んだ瞬間、あ、これは鶴岡——とぼくは直感した。だから「あとがき」に、〈つくりものの小説を書いているときにも、私はそのなかで郷里の風景を綴《つづ》っていることがある〉と書かれているのを読んで、やっぱり——と得心が行ったのである。

藤沢さんの生まれ故郷・山形県鶴岡市に、ぼくは十五年ほど前、約一年間だが、住んだことがある。〝東北の小京都〟といわれる静かなたたずまいの城下町である。〈結城《ゆうき》友助が住む組長屋は、城から南西の方角にあたる曲師《まげし》町にある。城下町のはずれに近く、そこまでくると、五層の城の天守は、町々の木立にさえぎられて見えなくなる〉と、「木綿触れ」は書き出されている。

庄内藩の城下町であった鶴岡市にいま、城の建物は残っていないが、城趾《じょうし》が市の中心にある。平城《ひらじろ》であった。城下町の常で、城趾をめぐる街衢《がいく》は迷路のようになっている。碁盤の目とは程遠い。この道を行けば市の中心に到達するだろうと思って行くと、どんどん外《そ》れてしまう。敵の兵馬の進攻を妨げるため、わざとわかりにくい設計にしてあるのだ。このことは加賀百万石の城下町金沢などでも同じである。城下町のはずれからは、もう天守閣も見えないというのが、城下町の街路づくりのノウハウであった。

こうした町の光景は、作者の脳裡《のうり》に焼き付いていて、眼を閉じればたちまち生き生きとよみがえってくるのだろう。それだけでなく、雪の夜道とか、葦切《よしきり》がさえずり続ける川べりとか、野を染める落日の光とか、少年の日の光景が、いまも私の中に生き続けていると、作者は「あとがき」で語っている。

それらの原風景のなかでも、とりわけ重要な意味をもっているのが、川と橋ではないか、とぼくは考えている。川と橋は、藤沢文学の世界を内側から支えている心象風景ではないかと。

藤沢さんが生まれ育った鶴岡市には、内川という幅四、五メートルの川が貫流している。花の季節、城趾は桜の名所となるが、ほどなく散り降る夥《おびただ》しい花びらは、たちまち堀を美しく染め、やがてこの内川へと流れ出、花の葬列となって日本海へ注いで行く。

市の北の外れには、豊かな水量をたたえた赤川が庄内平野を潤《うるお》し続け、そしてその北方には、〝五月雨《さみだれ》をあつめてはやし〟最上川《もがみ》が雄大な流れを見せている。それら幾筋もの川の流れは、四季折々、装《よそお》いを変えながら、作者の原風景として息づいているに違いない。

こうした視点で見ると、この作品集にも、幾筋もの川が流れていることを、読者は知るであろう。

例えば、「木綿触れ」。子を失って悲嘆にくれている妻を励まそうと、苦しい生活の中から差し繰って絹の着物を作らせた親切が仇《あだ》となり、代官所勤め当時の上役に妻をもてあそばれ、それが原因で妻は自殺を遂げるという下級武士の無念と悲劇を描いたこの作品において、妻が身を投げるのは村を流れる川である。

「小川の辺《ほとり》」も、川が重要な舞台となっている。この作品は脱藩して江戸へ逃亡した義弟を、主命によって討手《うって》として斬《き》らなければならない武士の不条理を描いている。しかも義弟と共に逃亡した実妹もろとも討たねばならなくなるという苦悩が描かれているわけだ。江戸に程近い村の小川の辺の一軒家でひそやかに暮らしている二人は、遂《つい》に発見される。激しい斬り合いの末、義弟は討たれる。それを目撃した妹が狂乱したごとく気合を発して斬り込んでくる……。だが、兄妹相搏《きょうだいあいう》つ一瞬の光景は急転換する。討手の助ッ人《すけと》として付いて来た若党によって、妹は助けられるのだ。
〈橋を渡るとき振り返ると、立ち上がった田鶴《たず》が新蔵に肩を抱かれて、隠れ家の方に歩いて行くところだった。橋の下で豊かな川水が軽やかな音を立てていた〉とこの作品は終わっているが、二人を結びつけたものが、幼いころの郷里の川であったことを伏線に置き、運命的な結末を見せているのである。

表題作「闇《やみ》の穴《あな》」の川は神田川である。この小説は、江戸の路地裏に住む職人の女房を主人公にした、ちょっとミステリアスな、しゃれた味わいのある作品だが、この女房がだれかに尾行されていると感じるのは、人影も疎《まば》らな神田川沿いの和泉《いずみ》橋の近くである。そして、不気味な男に託された謎《なぞ》の紙包みを取り出して、細かく引き裂いて捨ててしまうのは両国橋の上である。このように、ミステリアスなこの短編でも、重要な節目節目が、川を舞台にしているのは興味深いことだ。

次は「閉ざされた口」。偶然、殺人の現場を目撃したため、その恐怖心から失語症にかかってしまった子供を抱えて働く薄幸な長屋の寡婦《かふ》が主人公だ。
〈おようを預けると、おすまはいそぎ足に町を抜け、大川端に出ると、青物河岸《がし》から大川橋にむかった。柔らかい春の風が足もとをなぶって通り過ぎる。前褄《まえづま》をおさえながら、小刻みに足を動かして行くおすまの姿は、茶屋勤めの女のものになっている〉

おすまは、なりゆきで客とも寝る女になっている。一軒もたせるから妾《めかけ》にならないかと口説いた男と寝てしまった後、子供のことを思いながら、身の不幸を嘆き涙をあふれさせるのも、大川橋の上である。そしてこの薄幸な寡婦が、一度諦《あきら》めた人並みのくらしをしたいというささやかな希望がよみがえってくる結びの感動的な場面も、橋の上である。川と橋はこの小説の起承転結を象徴しているのだ。

「狂気」の主題も勿論《もちろん》、橋によって支えられている。この小説は推理小説で言う倒叙法の捕り物帳であるが、木場では分限者《ぶげんしゃ》で通る材木問屋の主人が幼女殺しとなるきっかけは、橋の上から母娘《おやこ》の諍《いさか》いを見たことにある。置き去られた娘を親切ごころから保護してやろうとして劣情のとりこになり、川べりの草むらの中で姦《おか》したうえ殺してしまうのである。

さて、「荒れ野」と「夜が軋《きし》む」の二編はいささか趣が違うので後述するが、これまで述べた五編は、このように、いわば〝川と橋のある風景〟といえるのである。

なぜ、川なのか。なぜ、橋なのか。

川はわれわれ日本人にとって、無常観の象徴なのである。日本人が今も親しんでいる古典文学に鴨長明《かものちょうめい》の『方丈記』がある。その書き出しは余りにも有名だ。

〈ゆく河の流れは絶えずして、しかも、もとの水にあらず。よどみに浮ぶうたかたは、

かつ消え、かつ結びて、久しくとどまりたる例《ためし》なし。世の中にある、人と栖《すみか》と、またかくのごとし〉

川は人の世の無常の表象として、われわれの内部に宿っているといえる。一切万物は生滅変転し、常住することを知らない。うつし世のすべてのものは移り変わる。とりわけ人の身ほどはかないものはない。例えば「木綿触れ」の足軽の妻が、村の裕福な長人《おとな》の家から窮屈な下士の家に嫁入りし、やっと幸せになったのも束の間《つかま》、生まれた赤ン坊に死なれて悲嘆にくれ、その心の傷がようやく癒《い》えようとしていた矢先、自殺に追い込まれてしまうように。藤沢さんはそのような人生の哀《かな》しみを、共感をもって描く作家なのだ。

そしてまた、川はわれわれ日本人にとって、断念の場でもある。紀元前、カエサルはローマに進攻しようとした時、「骰子《さい》は投げられた」と叫んでルビコン川を押し渡った。以来〝ルビコン川を渡る〟はヨーロッパ人にとり、重大な決断の言葉となっている。われわれ日本人に、こうした川のイメージはない。むしろ、お染久松の悲しい恋物語に描かれているような、断念のイメージである。すべてを諦め、川に身を投げるというように。そこに思い描かれる表象は、理不尽な支配に屈し、小さなしあわせや喜びも束の間、生命を脅《おび》やかされるという下級武士や市井《しせい》の庶民の人生であろう。

これもまた、藤沢文学の世界である。

第三点。川は江戸時代まで、生活そのものであった。昨今はモータリゼーション時代となり、都会の川は埋め立てられてしまったが、往時それは、交通網であり、憩《いこ》いの場であり、漁業の場でもあった。庶民生活を描く時、川は欠かせない背景であったといえる。

川といえば当然橋が出てくるわけだが、ここに託される心象は、川とは少し違うだろう。藤沢さんには『橋ものがたり』（新潮文庫）という橋にちなんだ作品集があるが、この作品集でも橋がさまざまの場で描かれている。ある時は思案の橋であり、ある時は決断の橋である。ある時は悪の契機となる橋である。橋は文字通り二つの世界の架け橋なのだ。苦界《くがい》に身を沈めなければならない娘が泣き泣き渡る橋もあるだろう。苦界を色里として楽しむ遊客がその橋を渡る時は〝思案橋〟と呼ばれる。ぼくはかつてある都市で、面影橋という名の小さな橋に、若い男女が橋の上から二人の面影を川《かわ》面《も》に映す情景を想像したことがある。だが、名前の由来は、刑場に曳《ひ》かれてゆく者が縄を打たれたまま、最後の現《うつ》し身《み》のわが顔を映して見るところにあると聞いて、愕然《がくぜん》とした。この橋は、生死を分ける橋だったのだ。藤沢文学の世界に橋が多く描かれるのも、そうした悲劇的な心象のゆえであろうと思われるのだ。

最後に、「荒れ野」と「夜が軋む」について触れたい。この二編も、藤沢さんの原風景を色濃く映していると思うが、前五編と違う点は、雪国の民話の味わいを伝えてくれる点である。このような民間伝承があるかどうか、ぼくは寡聞にして知らないし、おそらく藤沢さんの創作に違いないと思うのだが、ここに伝えられる味わいは、雪の降る夜など、囲炉裏を囲んで老人が子供らに語り聞かせる大人のメルヘンの味わいなのである。

（昭和六十年七月、時事通信社文化部長）

この作品集は昭和五十二年二月立風書房より刊行された。

藤沢周平著

消えた女
—彫師伊之助捕物覚え—

親分の娘おようの行方をさぐる元岡っ引の前で次々と起る怪事件。その裏には材木商と役人の黒いつながりが……。シリーズ第一作。

藤沢周平著

春秋山伏記

羽黒山からやって来た若き山伏と村人とのユーモラスでエロティックな交流——荘内地方に伝わる風習を小説化した異色の時代長編。

藤沢周平著

時雨みち

捨てた女を妓楼に訪ねる男の肩に、時雨が降りかかる……。表題作ほか、人生のやるせなさを端正な文体で綴った傑作時代小説集。

藤沢周平著

孤剣 用心棒日月抄

お家の大事と密命を帯び、再び藩を出奔——用心棒稼業で身を養い、江戸の町を駆ける青江又八郎を次々襲う怪事件。シリーズ第二作。

藤沢周平著

驟《はし》り雨

激しい雨の中、八幡さまの軒下に潜む盗っ人の前で繰り広げられる人間模様——。表題作ほか、江戸に生きる人々の哀歓を描く短編集。

藤沢周平著

密謀（上・下）

天下分け目の関ケ原決戦に、三成と密約がありながら上杉勢が参戦しなかったのはなぜか？ 歴史の謎を解明する話題の戦国ドラマ。

藤沢周平著
漆黒の霧の中で
—彫師伊之助捕物覚え—

竪川に上った不審な水死体の素姓を洗う伊之助の前に立ちふさがる第二、第三の殺人……。絶妙の大江戸ハードボイルド第二作！

藤沢周平著
刺客 用心棒日月抄

藩士の非違をさぐる陰の組織を抹殺するために放たれた刺客たちと対決する好漢青江又八郎。著者の代表作《用心棒シリーズ》第三作。

藤沢周平著
霜の朝

覇を競った紀ノ国屋文左衛門の没落は、勝ち残った奈良茂の心に空洞をあけた……。表題作ほか、江戸町人の愛と孤独を綴る傑作集。

藤沢周平著
龍を見た男

天に駆けのぼる龍の火柱のおかげで、あやうく遭難を免れた漁師の因縁……。無名の男女の仕合せを描く傑作時代小説8編。

藤沢周平著
ささやく河
—彫師伊之助捕物覚え—

島帰りの男が刺殺され、二十五年前の迷宮入り強盗事件を洗い直す伊之助。意外な犯人と哀切極まりないその動機——シリーズ第三作。

藤沢周平著
本所しぐれ町物語

川や掘割からふと水が匂う江戸庶民の町……。表通りの商人や裏通りの職人など市井の人々の微妙な心の揺れを味わい深く描く連作長編。

池波正太郎著

忍者丹波大介

関ケ原の合戦で徳川方が勝利し時代の波の中で失われていく忍者の世界の信義……一匹狼となり暗躍する丹波大介の凄絶な死闘を描く。

池波正太郎著

おとこの秘図（上・中・下）

江戸中期、変転する時代を若き血をたぎらせて生きぬいた旗本・徳山五兵衛——逆境をはねのけ、したたかに歩んだ男の波瀾の絵巻。

池波正太郎著

忍びの旗

亡父の敵とは知らず、その娘を愛した甲賀忍者・上田源五郎。人間の熱い血と忍びの苛酷な使命とを溶け合わせた男の流転の生涯。

池波正太郎著

真田騒動
—恩田木工—

信州松代藩の財政改革に尽力した恩田木工の生き方を描く表題作など、大河小説『真田太平記』の先駆を成す〝真田もの〟5編。

池波正太郎著

あほうがらす

人間のふしぎさ、運命のおそろしさ……市井もの、剣豪もの、武士道ものなど、著者の多彩な小説世界の粋を精選した11編収録。

池波正太郎著

谷中・首ふり坂

初めて連れていかれた茶屋の女に魅せられて武士の身分を捨てる男を描く表題作など、本書初収録の3編を含む文庫オリジナル短編集。

山本周五郎著
さぶ
職人仲間のさぶと栄二。濡れ衣を着せられ捨鉢になる栄二を、さぶは忍耐強く支える。友情を通じて人間のあるべき姿を描く時代長編。

山本周五郎著
大《おお》炊《いの》介《すけ》始末
自分の出生の秘密を知った大炊介が、狂態を装って父に憎まれようとする姿を描く「大炊介始末」のほか、「よじょう」等、全10編を収録。

山本周五郎著
日日平安
橋本左内の最期を描いた「城中の霜」、武士のまごころを描く「水戸梅譜」、お家騒動をユーモラスにとらえた「日日平安」など、全11編。

山本周五郎著
虚空遍歴（上・下）
侍の身分を捨て、芸道を究めるために一生を賭けて悔いることのなかった中藤冲也——苛酷な運命を生きる真の芸術家の姿を描き出す。

山本周五郎著
季節のない街
生きてゆけるだけ、まだ仕合わせさ——。貧民街で日々の暮らしに追われる住人たちの15の悲喜を描いた、人生派・山本周五郎の傑作。

山本周五郎著
おさん
純真な心を持ちながら男から男へわたらずにはいられないおさん——可愛いおんなであるがゆえの宿命の哀しさを描く表題作など10編。

隆慶一郎著
吉原御免状
裏柳生の忍者群が狙う「神君御免状」の謎とは。色里に跳梁する闇の軍団に、青年剣士松永誠一郎の剣が舞う、大型剣豪作家初の長編。

隆慶一郎著
鬼麿斬人剣
名刀工だった亡き師が心ならずも世に遺した数打ちの駄刀を捜し出し、折り捨てる旅に出た巨軀の野人・鬼麿の必殺の斬人剣八番勝負。

隆慶一郎著
かくれさと苦界行
徳川家康から与えられた「神君御免状」をめぐる争いに勝った松永誠一郎に、一度は敗れた裏柳生の総帥・柳生義仙の邪剣が再び迫る。

隆慶一郎著
一夢庵風流記
戦国末期、天下の傾奇者《かぶきもの》として知られる男がいた！　自由を愛する男の奔放苛烈な生き様を、合戦・決闘・色恋交えて描く時代長編。

隆慶一郎著
影武者徳川家康（上・中・下）
家康は関ヶ原で暗殺された！　余儀なく家康として生きた男と権力に憑かれた秀忠の、風魔衆、裏柳生を交えた凄絶な暗闘が始まった。

隆慶一郎著
死ぬことと見つけたり（上・下）
武士道とは死ぬことと見つけたり――常住坐臥、死と隣合せに生きる葉隠武士たち。鍋島藩の威信をかけ、老中松平信綱の策謀に挑む！

司馬遼太郎著

人斬り以蔵

幕末の混乱の中で、劣等感から命ぜられるままに人を斬る男の激情と苦悩を描く表題作ほか変革期に生きた人間像に焦点をあてた7編。

司馬遼太郎著

国盗り物語 (一〜四)

貧しい油売りから美濃国主になった斎藤道三、天才的な知略で天下統一を計った織田信長。新時代を拓く先鋒となった英雄たちの生涯。

司馬遼太郎著

燃えよ剣 (上・下)

組織作りの異才によって、新選組を最強の集団へ作りあげてゆく〝バラガキのトシ〟——剣に生き剣に死んだ新選組副長土方歳三の生涯。

司馬遼太郎著

新史 太閤記 (上・下)

日本史上、最もたくみに人の心を捉えた〝人蕩し〟の天才、豊臣秀吉の生涯を、冷徹な史眼と新鮮な感覚で描く最も現代的な太閤記。

司馬遼太郎著

関ケ原 (上・中・下)

古今最大の戦闘となった天下分け目の決戦の過程を描いて、家康・三成の権謀の渦中で命運を賭した戦国諸雄の人間像を浮彫りにする。

司馬遼太郎著

果心居士の幻術

戦国時代の武将たちに利用され、やがて殺されていった忍者たちを描く表題作など、歴史に埋もれた興味深い人物や事件を発掘する。

闇《やみ》の穴《あな》

新潮文庫　ふ - 11 - 14

昭和六十年九月二十五日　発行
平成二十年四月二十日　四十三刷改版
令和四年十月十日　五十九刷

著者　藤《ふじ》沢《さわ》周《しゅう》平《へい》

発行者　佐藤隆信

発行所　株式会社新潮社

郵便番号　一六二―八七一一
東京都新宿区矢来町七一
電話　編集部(〇三)三二六六―五四四〇
読者係(〇三)三二六六―五一一一
http://www.shinchosha.co.jp

価格はカバーに表示してあります。

乱丁・落丁本は、ご面倒ですが小社読者係宛ご送付ください。送料小社負担にてお取替えいたします。

印刷・錦明印刷株式会社　製本・株式会社大進堂

ISBN978-4-10-124714-4 C0193